心ゆたかな社会へ

はみだし弁護士・スケッチ帖

大山皓史

東京図書出版

はじめに

いつの世でも、だれも皆、幸せな人生を願っています。しかし、自分の幸せだけでなく、皆が幸せに生きることができる社会、「心ゆたかな社会」が理想ではないでしょうか。

その反対は「心の貧しい社会」です。残念ながら、今の世界の多くの国々がそうです。そのために、世界の政治・経済・社会が、いま大きく揺れ動いているのです（２０２０年に新型コロナウィルス感染症が世界的に拡大し、世界各国の社会、経済に大打撃を与えています。それならば、コロナ後の社会は、「心ゆたかな社会」を目指したいものです）。

この20～30年で、世界の政治経済の潮流は、市場原理主義思想にもとづくグローバリゼーションという形での改革で、大きく流れが変わりました。

しかし、このグローバリゼーションという形での世界の政治経済の改革は、成功したといえるでしょうか。アメリカでは２００１年の９・11テロや２００８年のリーマン・ショック等を経て、格差の二極化（中間層の没落）から社会が分断化し、またＥＵでは移民や難民問題などと交錯する形でイスラム過激派によるテロの脅威と極右の台頭、さらにはＥＵ域内の国々の財政格差からくるソブリン・リスクの問題など、近代をリードしてきた欧米の先進諸国では、様々な形で深刻な問題が起きています。また日本でも格差社会が進んでいます。

市場原理主義思想にもとづき、グローバリゼーションの時代を推し進め、経済的成功を収めた者は、物質的には裕福かもしれませんが、自らの富を弱者や社会に還元することをしないのは、心が貧しいからです。そのようなごく一部の者だけがますます富み、多くの人たちが貧しくなる格差社会は、「心の貧しい（者に支配されている）社会」です。

グローバリゼーションを推進してきたアメリカやＥＵ、日本などの主要国の指導層は、いまの世界を揺るがしているこのような深刻な問題を解決する有効な「解」を見いだせていません。このような不確かな時代に、現在の世界の指導層は、市場原理主義にもとづく強欲な資本主義経済の矛盾をそのままにして混迷を深めるだけで、問題を先送りしているにすぎません。その積弊は、コロナ禍に適切に対応できないことにも、現れています。

◎私たちは、このような不確かな時代を生きていかなければならないのです。そうであるならば、自分だけの幸せではなく、皆が幸せに生きることができる社会、「心ゆたかな社会」を目指して生きたいものです。理想を目指して生きる。それは簡単なことではありませんが、こういう時代だからこそ、それを真剣に考えてみる価値はあると思います。

ひとは自分の幸せを第一に考えます。他人や社会のことは二の次であるのが普通です。しかし冷静に考えてみると、自分だけの幸せではなく、皆が幸せに生きることができる「心ゆたかな社会」が、それぞれが幸せな人生を築いていくうえでも、必要不可欠な土台ではないでしょうか。

○「心ゆたかな社会」は、民主主義社会にあっては主権者である私たち一人ひとりが成熟した市民になり、主権者の自覚をもって作る以外にありません。そのためには先ず私たち一人ひとりが、心ゆたかな、成熟した大人の市民に成長していかなければなりません。

成熟した市民になるとは、どういうことでしょうか。また大人になるというのは、どういうことでしょうか。大人になったからといって、悩みがないということはありません。大人は家族や社会に対する責任を背負って生きていますから、かえって悩みは深くて重いものがあるのが普通のことです。それを逃げず引き受けて生きるのが大人です。そうして主権者の自覚をもって社会（大小さまざまの共同体）をより善いものにすることが、自分の幸せだけでなく、皆が幸せに生きることができる社会、「心ゆたかな社会」を作っていく道程であることを理解しています。それが、大人であり、成熟した市民だと思います。

「心ゆたかに生きる」には、自分の幸せだけでなく他の幸せも考えることができるような心の余裕がなければできません。しかしそのような心の余裕をもてるようになるためには、その前提として、まず自分が自己を肯定できるようになることが最初に必要なことです。

しかしこれは意外と簡単なことではありません。とくに若いときは、他と自分を比較し劣等感を抱く。そうなると自分に自信を持てません。自分はこれでいいのだと自己を肯定することができず、心ゆたかな人生をめざす心の余裕など生まれません。劣等感を克服し自分を肯定できるようになるにはどうしたらよいか考えなければなりません。

さらに、社会で自立し、自律的に生きることができるようになるためには、職業的能力を身につけ、自分の経済的な生活能力に、自信を持てるようになることが必要です。

心ゆたかに生きていくためにはどうしたらよいか、社会とどのように向き合って生きていけばよいか、若いときから試行錯誤し、また多くの賢人の教えを直接・間接に学びながら、僕は考えてきました。その過程で、劣等感を克服し、何とか自分を肯定できるまでになりました。そういうことから、第1部（第1章〜第2章）では、僕のそれらの拙い経験や思索が、悩み多い若い皆さんの人生に、少しでも参考になればと思い書きました。

第二次世界大戦で日本が敗戦した1945年に、僕は生まれました。この本の第1部の第1章では、敗戦の結果、何から何まですべてを失って焼け野原になり、どん底にまで落ちた日本がどのように立ち直ってきたか、立ち直るまでの辛いはずの日々が、当時子どもだった僕の目には、どのように映っていたかを中心に述べることにしました。

現在でも、ひとによっては、経営していた事業に失敗して倒産したり、失業したりして、どん底に突き落とされて辛い日々を送っている人がいます。あるいは、先行きが不透明な時代に、将来に不安をいだきながら生きている人も多いかも知れません。しかし、いわばゼロからのスタートの場合であっても、自分を信じ勇気と希望をもって生きてもらいたいと願い第1章を書きました。

第2章は、劣等感を抱きながら自分の生きる道を暗中模索していた僕の青春時代の少しほろ苦い日々の断片を中心に書いてみました。数々の人生経験を重ねた大人の方からみれば他愛のないことばかりですが、若いころの僕は失敗や挫折を数えきれないほどしていて、そのつど悩み、また自意識過剰を持てあましてはコンプレックスに陥るなど、迷いの多い青春時代でした。しかし試行錯誤しながらもそれらの壁を乗りこえてきた経験は、その後の僕の人生の財産となりました。若い時には「苦労は買ってでもしなさい」とよくいわれます。若い時は、未熟ですから失敗や挫折がつきものですが、それを自ら苦労して乗りこえることが自信になり、後でその経験は、かならず自分の財産になるからです。

○いまの時代は、市場原理主義思想にもとづくグローバリゼーションの時代です。少数の者だけがますます豊かになり、多くの人が貧しくなる格差社会であり、「心の貧しい社会」です。そうであるならば、心貧しい社会から「心ゆたかな社会」に、理想を目指して生きたいものです。そのためには先ずどうしたらいいかを考え、そして行動したいものです。

そういうことから、第2部（第3章〜第6章）では、今の時代はどういう時代か、先ずその問題の核心を見きわめ、これからの日本の社会を皆が幸せに生きることができる社会、「心ゆたかな社会」にしていくには、どうしたらいいだろうか、それを考えてみました。

第3章では、僕が弁護士になってからの経験や、司法の世界の問題を述べながら、今の時代は、どういう時代なのかという視点から、僕なりの見方を書きました。

第4章は、弁護士という立場をはみだして、資本主義経済の歴史からその本質を理解し、歴史の転換期にある今の時代の問題を、自分なりに整理してみました。

第5章は、前章を受けて、皆が心ゆたかに幸せに生きていくことができるような社会を作っていくには何が必要なのか、コロナ後の未来社会の入口の心象風景を素描（ラフスケッチ）してみました。そのうえで最後の第6章で心ゆたかな社会へ前進するために「将来への課題」を考えてみました。

心ゆたかな社会へ◇目次

第1部　心ゆたかな人生をめざして

第1章　国破れて山河あり

■子どものころ（1945〜1957年）

僕は終戦の年、昭和20（１９４５）年に東京で生まれました。コンクリートの土台だけが残っている空襲の焼け跡が、まだそこここにありました。昭和20年代前半のころは、子どもたちは薄汚れたつぎはぎのある服を着ているのが普通で下駄や裸足の子もいました。ともかく皆が貧しかった。住居も多くの人たちは建物というより物置小屋に近いバラックに住んでいました。東京でもこの有り様です。日本はまさに国破れて山河ありでした。

食糧難で庭先に野菜を植えたり、鶏を飼っている家も多く、家族がなんとか食べていくだけで精一杯でした。そういう中でも、近くの商店街の魚屋さんは、盆暮れの年二回の付け払いで、魚を売ってくれました。後で母から「あの時は魚屋さんや多くの人に助けられた」という話をよく聞いたものです。豚カツ等は当時は大変なご馳走で誕生日のときしか食べられません。美味しさに感激しながら、一口ひとくちを味わいながら食べたものです。

このように、戦後まもないころは、大人たちは生きていくために本当に大変でしたが、子どもたちは親たちの苦労も知らずに単純に明るく元気でした。オモチャなど無くても自分たちで遊び道具を作って遊びました。焼け跡に残っていた棒切れで刀を作ってチャンバラをしたり、空きカンを使って様々な遊びをしました。また焼け跡のコンクリートの土台の上だけを走りまわるオニごっこもしました。セミや蝶などの昆虫だけでなく、雀やトカゲ、カエル、蛇などがいて、それらをつかまえることも遊びでした。

今の子どもたちは、オモチャやゲームソフトなど遊ぶものがたくさんあり、何も無かった僕たちの子どものころより幸せだと思うひとがいるかもしれません。しかし何も無かった僕たちの子どものころが、不幸せだったとは思いません。何も無くても、自分たちで創意工夫して楽しい遊びをつくりだし、毎日わくわくしながら夢中になって遊んでいましたから、楽しく幸せな子ども時代だったのではないかと思います。

父の田舎にもよく行きました。田んぼの小川には、鮒やドジョウやメダカ、ザリガニ、ゲンゴロウやミズスマシ等、多くの小さな生物がいて、それらを観るのが大好きでした。田舎の家には、まだ水道やガスがなく、五右衛門風呂には、井戸から水を汲んでは木桶で何回も水を運び、また薪を燃やして風呂の湯をわかします。煙はすこし目にしみるときもありましたが、薪が燃えるときに木からでる何ともいえない甘い匂いは、いいものでした。

いまの都会の便利な生活にくらべれば、前近代の不便な生活ですが、自然の環境の中で貧しくとも心ゆたかな生きかたであったように、懐かしい記憶として残っています。

■戦後経済の復興

敗戦の翌年、1946年には、早くもソニーの前身である東京通信工業（東通工）やホンダの前身である本田技術研究所（本田技研）が創業される等、戦前からの会社だけでなく、新しい会社も次々に誕生し、敗戦で壊滅状態になった日本の製造業をはじめとした経済は、新たな希望の息吹を胸に、元気よく立ち直ろうと動きはじめていました。

『ALWAYS――三丁目の夕日』（2005年）という映画は、1958年ころの東京が舞台です。そのころには僕は中学生になっていましたが、いつのまにか、つぎはぎだらけの服を着ているような子どもは見かけなくなりました。復興が軌道にのりはじめ、そのころには毎年たくさんの中卒の若い人が集団就職で東京に来ました。復興が加速度的に進行するようになった時代で、その象徴ともいえるような東京タワーがちょうど建設中のころです。

当時は、まだ物質的には、今よりずっとまずしい時代でしたが、今日よりも明日はよくなると、皆が将来に希望をもって、前向きに生きていた時代です。

日本の経済復興が勢いを増して進む中、１９６４年に（第一回）東京オリンピックが開かれ、カラーテレビが急速に普及。同じ年に東海道新幹線も開通し、また高速道路の建設が進み目に見えて日本の風景が急激に変わりました。経済学者によると、日本の高度経済成長期は、１９５５年頃から始まったとみるようですが、その成果が誰にも見える形で現れてきたといえるのは、オリンピックの頃からではなかったでしょうか。僕の実感では、そうでした。

■この章のまとめ

日本は敗戦により、何もかも失い焼け野原になる経験をしました。まさに国破れて山河ありでした。しかし、そのようなどん底に落ちたところから、日本人は逞しく見事に立ち直ってきました。どん底のときも、子どもたちは明るく元気でした。たぶん大人たちも、元気な子どもたちを見て、自分たち大人ももっと頑張ろうと思って強く生きてきたのではないでしょうか。（万物の造物主である）神さま*は、人間をたくましく生き延びることができる存在として、創られていると思うのです。あなたが、もし何らかの事情で今どん底の状態にあったとしても、前向きの強い意志で、辛抱づよく頑張れば、必ずやあなたの人生をよりよく再興することができるだろうと思います。

*この本では、神さまという表現は、神仏でも天でも、何でもいいですが、皆さんがそれぞれに信じる（万物の造物主である）最高位の崇高な存在というような意味で使っています。

第2章　彷徨える青春時代

■高校時代

1960年に僕は早稲田大学の付属高校の高校生になりました。練馬区の上石神井にあった高等学院の周辺は、当時はまだ田んぼが多く、のどかな田園風景が広がっていました。

当時の僕は、「ボーッと生きてんじゃねーよ」とチコちゃんに叱られる（ＮＨＫ）かもしれませんが、政治の状況に関心を寄せることもなく、60年安保闘争もニュースで知る程度でした。早熟な友人の中には高校1年生でもデモに行っていましたが、晩熟だった僕は東京六大学野球の歴史に残る早慶六連戦にわくわくしていたような高校生でした。

■世間の風潮

当時の日本は高度経済成長のさなかにあり、世間ではエンジニアがもっと必要だということで理工系の学卒者がもてはやされる風潮がありました。将来の進路志望については、当時の理工系ブームという世間の風潮らしきものに、僕は結構、影響を受けていました。

付属高校ですから卒業すれば全員が早稲田大学に無試験で進学することができますが、人気の理工学部には成績が良くなければ行けません。僕は、理系の科目は、幾何を除いて、苦手だったので、高3のときに、理科組ではなく文科組になり、理工学部に進学できないことになりました。理科組に行けずに劣等感が芽生えかけましたが、僕が尊敬し憧れていた中学の先輩が、慶應大学の経済学部に進学したことから、僕は理工系ブームという世間の風潮の呪縛から逃れることができ、ホッとした記憶があります。世間の風潮に影響されず自分の選択をした先輩の良い先例は、世間の風潮とのギャップに迷っていた当時の僕に、自主性を取り戻す良い導きになりました。

あなたが世間の風潮とミスマッチのときでも、自分の内なる声に耳を傾けて、試行錯誤しながらでも、焦ることなく、ゆっくり自分の進路を見定めていけばいい、と思います。

■不合格は、悪いことばかりではない

理科組に進級できず、その後の僕の人生の進路の大筋がそこで決まったのですが、結果的にはむしろそれが良かったのです。自分の人生は、自分で決めることができるのがよいと思うのですが、自分の意思と関係なく外部から不合格とされて、それで進路変更を余儀なくされることも（よくあることですが）、悪いことばかりではありません。

人間は、（そのときは気づいてなかったとしても）思いのほか多様でポジティブな可能性を有しています。進路変更により希望とは別の世界に進んだとしても、そこで新たな希望を見いだして開花することはよくあることです。

また不合格とされたことは、自分がその分野に才能が無い、向いていないということを教えてくれている、と解釈したほうがいい場合があります。試験の場合、不合格とされたとしても、人間失格を宣言されたわけではないのです。長い人生から見てみると不向きの分野は、早く撤退するのが賢明です。向いていない分野で努力するのは、苦痛が多いだけ

で報われません。早く自分が楽しく努力できる分野を見つけて、その分野で努力するほうが、うまく行くことが多く、納得の人生を送れると思います。

■大学時代

大学は、政治経済学部の経済学科に進みましたが、僕は、カーデザインに興味があってデザイン研究会というサークルに入りました。僕はデザインの世界にのめりこみましたが、当時の大学生は、左翼学生運動家はマルクス主義関係の本を読み、さらにノンポリといわれた一般学生も含めて、多くの大学生は、カント、ヘーゲル、キルケゴール、ニーチェ、ハイデッガー等の哲学書や、実存主義者のサルトルの本のほか、吉本隆明や埴谷雄高などの思想書なども、教養として（たぶんよく）読んで議論していました。東西冷戦のさなかベトナム戦争もあって、政治の季節であったからかもしれませんが、どういう本を読んでいるかで人格を評価しているような、思えば変なところがあったように思います。

しかし当時の僕は、哲学・思想系の本は興味がもてず、それほど読んでいません。これはいかんということで、或るときサルトルの『嘔吐』という本を手にとってみたのですが、1頁でギブ・アップです。それから深刻なコンプレックスに陥りました。

■コンプレックスをのりこえる

背伸びして、外面《そとづら》は、いっぱしの教養があるかのように装っていた偽りの自分がいます。しかし自分の心の内では、それは偽りの自分であることを知っています。内心悶々として悩みは深まります。教養の多い少ないを競う「競争」に負けたくないとして偽りの自分であってもそれに固執する自分がいます。しかしそれは偽りの自分であるとして心から自分を納得することができないもうひとりの自分がいます。もうひとりの自分が、偽りの自分に執着する自分を自己否定していく葛藤は、偽りとはいえ自分を削ぎ落としていくことであり、偽りの衣を脱いでいく過程は自分が小さくなっていくような心細さがありました。

しかし、そのような日々が続いた或る夜、突然、天啓のような直観ともいうべき閃きがありました。「まてよ、(万物の造物主たる) 神さまは、人間をそんなに不公平に創られていないはずだ。人には、得手・不得手があるが、神さまの目から見れば、得手・不得手のデコボコは、団栗の背比べのようなものでかわいいものだ。僕は、哲学・思想系は不得手の分野だ。そうするとそれが得手の人にかなわなくて当然ではないか。誰が哲学・思想系の知識の多寡を人格評価のモノサシに決めたのだろう。そんなことを決めることができる人などいないはずだ。神さまだってそんな1本のモノサシだけで人格評価したりしないで多様なモノサシを用意して評価しているはずだ。それならば、自分の得手であるカーデザインのモノサシで見れば、何万人もいる早稲田の中で僕はトップクラスに入るはずだ」
そのような考えに到達して、僕は「平凡な人間だが、神さまにはそれでも認められている」このままでいいのだと（理屈抜きで）直観したのです。

こうしてそれまで重苦しく悩まされていた僕のコンプレックスは、瞬間的に消えました。そして背伸びして、いっぱしの教養があるかのように装っていた偽りの自己（小我）を捨て去ると、不思議なくらい清々しい気持ちになりました。

同時に、他の多くの学生も哲学・思想系の知識が十分あるかのように背伸びしている姿が見えてきて、本当は自分とあまり違わないと思いました。（神さまが創られた同じ人間なのに）優劣を競争し、また背伸びしてでも負けまいと皆一生懸命に生きている姿に、みんな健気に頑張っているなと（妙な）共感とともに、同じ仲間ではないか、優劣なんて大した問題ではない、競争ではなく、それぞれが得手の分野を活かして共生すればいいのだ、と思うようになりました。そうしてそれまで悩み苦しんでいたのは、「生きている」からこそ心の痛みとして感じていたのであり、生きている証しだと妙な実感をしました。

心身に苦痛がないほうがいいのは勿論ですが、病気や怪我、さまざまな争いや揉め事が絶えないのが現実です。しかしそれでも何があっても、何とかして*「生きぬくこと」が大事だと思います。

＊玄侑宗久『禅的生活』（ちくま新書）は、深刻にならずに楽に生きる心のあり方を示唆。

その後、僕は、哲学・思想系の知識だけでなく、どの分野であれ自分に足りないところは足りないと素直にそれを認めることができるようになりました。また、自分が知らないことや出来ないことがたくさんあることを知り、それらを知っていたり出来たりする人や日常生活を支えてくれている人を素直に認め尊敬するようになりました。学歴なんか関係ありません。近所のお医者さん、電気や水道の工事屋さん、大工さん、魚屋さんや、豆腐屋さん、コロッケ屋さん等々、居てくれてよかったと感謝できる人は周りを見渡しただけでも大勢いました（アフターコロナの時代でも、社会で必要とされる人たちです）。

■全共闘・第一次早大闘争

僕が大学3年のとき（1966年）、早稲田で学生ストが起きました。或る日突然、校舎の入口が机や椅子で塞がれて中に入れない状況になり、授業ストップになりました。ストをするということは学生大会で決められたということでしたが、多くのノンポリ一般学生は、そのような学生大会が開かれたことすら知らず、寝耳に水の出来事でした。

キャンパスのあちこちで学生が集まり、社青同、革マル、中核、民青などの左翼活動家の学生が中心になって、マイクや立て看板で、米帝国主義反対、産学協同路線反対、学費値上げ反対、学生会館の管理運営権を学生に寄こせ、等と口々にスローガンを訴え、騒然としていました。

私たちは、日ごろ、事を起こす前にその是非を判断し、是と判断されて初めてそれを実行に移します。日常、多くの場合、その判断と実行は、ほとんど瞬時におこなわれますが、それでも順番として、判断が先で、実行は後です。適切な判断にもとづいて行動することにより間違った事態（結果）になることを避けることができるからです。

しかし、ノンポリの多くの一般学生は、その判断の過程を経ることなく、いきなりストによる校舎のバリケード封鎖という重い事態を突き付けられ、困惑しました。

それでも学費値上げに反対という点では多くの一般学生も目的を共感することができることから、学生運動家たちは言葉巧みに一般学生も巻き込んで全学共闘会議（全共闘）という形をとってストの勢いを増していったのです。

そのうち事態を重くみた大学当局が機動隊の出動を要請し、キャンパスに立て籠もった学生たちを排除しました。全共闘の中心メンバーは、逃げるようにして法政大学に移動し今後の活動方針を協議することになりました。

そこで僕たちノンポリの一般学生も、この事態を打開するために、法政大学で開かれた早稲田の全共闘の集会に参加しました。この頃には、スト継続で授業も試験も受けられず、取得単位不足で卒業できなくなるという4年生の心配が現実化しそうな気配になってきていたので、スト方針の見直しを訴えたかったからです。

しかし、全共闘の中心メンバーである学生運動家たち執行部は、僕たち一般学生グループの発言を認めようとしません。発言する機会すら十分認めず、抗議しても駄目でした。かえって彼らは、産学協同路線を継続しようとしているとして、そのような大学をスト継続により機能不全にして潰そうと息巻く始末で、一般学生の考えとは隔絶していました。また、一般学生を含む全共闘であれば、民主的な手続をまもって、一般学生の意見も真摯に聴くべきですが、学生運動家たちの執行部は、民主的な手続をまもろうとする誠実さが無いことが明らかになったのです。

それらがわかって、全共闘に参加していた一般学生は全共闘から離脱し、早稲田のキャンパスに戻って、ゼミ連絡協議会やサークル連合会などのネットワークにより多くの一般学生に声をかけて、スト解除の学生大会を、各学部ごとに開いたのです。

政経学部の学生大会は、3日がかりの徹夜になりました。学生運動家と多数の一般学生たちとの間で激論になりました。学生運動家たちは学生大会でスト解除の決議を阻止するため議長席を独占しようとしましたが、一般学生たちは多数の意志を結集して、民主的な手続により議事運営ができるように自分たちの側で議長席を占めるようにしました。それだけのために丸2日もかかりましたが、結集した多くの一般学生の意志の力に、最後は、学生運動家といえどもスト解除を認めざるを得ませんでした。

私たちの生活は、社会の民主的なルールを皆がまもることによって、適切に営むことができること、そして、民主的なルールをまもらない動きがあるときは、私たちが、自らの意志の力で自分たちの社会をまもる必要があることを、改めてこのとき僕は学びました。

(後になってふりかえってみると、学生運動家たちは一般学生たちと考えや行動は違っていましたが、彼らも彼らなりに真摯に生きていたと思います。彼らが問題提起したことは、すべてが間違いだったと簡単に片づけられないものがあったように思われます。アメリカは当時ベトナム戦争のさなかにあり、その覇権体質は、或る意味でいまでも続いているといえるからです。その意味でアメリカの覇権体質に反対する意思を表明するのは理解できるところです。しかし当時の大学が、アメリカの帝国主義的覇権に加担していたとまではいえないこと、さらに資本主義をどうみるかにもよりますが、資本主義経済システムを支える産学協同を間違いだと決めつけることは、多くの一般学生には受け入れられないことではなかったかと思います。また何よりも、手続的に民主的なルールを学生運動家たちが尊重しなかったことは間違いであったと思います）

■消えた甘い夢

僕は、政経学部に在籍中は、前述のデザイン研究会で好きなカーデザインの勉強に没頭していました。そして当初は、かなり本気でカーデザイナーになりたいと思っていました。しかしサークルで勉強したといっても、本格的にデザイン学校でカーデザインを学んだのとは違います。そこで早稲田を卒業後に、美大の工業デザインコースで基本からきちんと勉強し直そうと思いました。

３年生の頃、デザイン研究会のＯＢでカーデザイナーになっていた先輩に会いに行きました。実際のカーデザイナーの現場を知り、カーデザイナーになるためには、どのような勉強をしたらよいか、助言を得たいと考えたのです。

しかし先輩の助言は、美大ではダメだ、理工学部の機械工学科に行けというものでした。先輩は理工学部の機械工学科を卒業して某メーカーのデザイナーになっていました。

先輩は目のまえにあるグラスの容器をとりあげ、車のボディーもこういうカーブの線や微妙にアール*が変化する曲面で構成されると言い、デザイナーは自分が美しいと感じる線や曲面のボディーデザイン案を提案しても、量産車のボディーはプレス加工して造るものだから、製造現場のエンジニアから、プレスではそのような線や曲面を出すことは難しいと言われると、エンジニアリングの知識がない美大出のデザイナーでは、そこで自分のデザイン案を引っ込めざるを得なくなると言うのです。しかし機械工学のエンジニアリングの知識があるデザイナーならば、製造現場からそのように言われてもそれに反論できる場合もある。だから美大ではなく、理工学部の機械工学科に入ったほうがいいという助言を、僕にしてくれたのです。

＊アール（r）：ここでは円弧状の曲面の曲がり具合を表す曲率をさします。

約50年ほど前は、車の鋼板もその加工技術も、いまほど自由な造形を可能にするレベルではなく、先輩の助言は非常に説得力のあるものでした。しかし、僕には理工学部に入れる自信がまったくありません。先輩の助言は、僕にとっては頭を殴られたような衝撃でした。

さらに偶々同じころに、或るデザイン分野の長老でその世界で第一人者と目されていた著名なデザイナーの自殺未遂事件がありました。風聞では、クリエイティブな能力が枯渇してきたという深刻な悩みによるものだということでしたが、これも僕には衝撃でした。デザインの世界も、好きだというだけで簡単に通用するほど甘い世界ではない、というあたりまえの厳しい事実を知りました。世間知らずだったということでもあるのですが、この二つの衝撃により、僕の甘い夢は、消えました。

■弁護士志望へ

僕は、当初、カーデザイナーになりたいと思っていましたが、そんなに甘くないということが分かって、断念しました。それでは自分は、これからどうやって食べていくのかということを考えなくてはなりません。当時（1960年代後半ころ）の日本は、まだ高度経済成長の時代でしたが、それでもしっかりとした仕事に就かないと、安定した生活ができない、いや食べていけない、というようなハングリー感が、社会にはまだ色濃く残っていたのです。資産家や家業の跡取り息子などは別として、大半の友人たちは、父親がサラリーマンでしたから、卒業したら当然のように、サラリーマンの途を選択していました。

僕は父が弁護士だったこともあり、司法試験を受けて弁護士になろうと、そのとき思いました。弁護士になれば、父によろこんでもらえると思ったこともありますが、自分には社会で通用する力が何もないので、ゼロから勉強して、司法試験に合格するような本当の実力を今度こそ身につけたいと思い、弁護士の途へ志望の進路を変更したのです。

■司法試験合格

こうして僕は、政経学部を卒業後、法学部に入学し直して、法律の勉強を始めました。最初、経済学と法学とは同じ社会科学系で隣接しているから、それほど違わないだろうと予想していたのですが、そうではありません。笑い話になりますが、刑法の授業を聴講していたとき、殺人罪とか窃盗罪など「〇〇ザイ」という音を聞くと、最初のころは頭の中に「罪」ではなく「財」という漢字があらわれ、慌てて頭の中で修正したものです。

ともかく、一生懸命、勉強しました。当時の司法試験は、合格倍率が極めて高い最難関の試験でしたが、さしたる頭脳ではないので、司法試験に合格したときは30歳を過ぎていました。司法研修所に入ってみると、同期生は20代から50～60代と幅広い年代にわたっていました。30代の東大出身者も結構いましたが、そのほとんどは全共闘世代*です。良識ある好人物が多く、以後ずっと親しく付き合っています。

＊全共闘世代とは、ここではいわゆる団塊の世代（１９４７～１９４９年生まれ）を中心に前後数年まで広げた世代を指しています。皆がヘルメットをかぶり激しく活動していたわけではありませんが、政治的立場は別として、ノンポリも含めて活気ある世代でした。

■初めての海外旅行

司法試験に合格すると、僕たちの頃は、現在と異なり、翌年4月に司法研修所に入所し2年間の実務修習がはじまります。僕は、１９７７年秋に司法試験に合格しましたが、翌年4月から司法研修所に入る前に、アメリカに遊びに行きました。初めての海外旅行でしたがサンフランシスコ・シカゴ・ニューヨーク・ロスアンゼルスと回りました。

短期間の旅行で、アメリカ社会の表面的なごく一部しか見なかったのですが、日本とは違う（生き方をしている）社会があると感じ、僕にはそれは思いのほか新鮮な驚きでした。

僕が子どもの頃は、小学校から中学校くらいまでは、白黒テレビの時代でした。その頃のテレビ番組は、アメリカの西部劇（『ローハイド』、『ララミー牧場』等）、子ども向けホームドラマ（『名犬ラッシー』、『パパは何でも知っている』等）、若者向け娯楽番組（『ルート66』等）、大人向け番組（『ヒッチコック劇場』、『弁護士ペリーメイスン』等）など、アメリカ製作の番組が多く、それらを通じて、アメリカの明るいイメージが作られていました。ベトナム戦争の頃には、アメリカは明るいイメージだけの国ではないことは、さすがに僕も気づくようになりましたが、それでも（漠然としたものでしたが）アメリカという国のプラスのイメージは基底に残っていました。

サンフランシスコは坂の多い街でした。路面電車のケーブルカーに乗ったときのことです。並走するオープンカーの自動車がケーブルカーを追い越していくとき、何かの合図をするかのようにクラクションを短くリズミカルに鳴らしました。するとケーブルカーも車の挨拶に応えるかのように、車掌が天井の紐を引いて、同じようなリズムでチン、チン、チンと鐘を鳴らして応えたのです。僕は思わず笑ってしまいましたが、日本では公共交通機関の運行者がそのような振る舞いをすることは、たぶん許されないでしょう。日本とは違うなと感じました。また（当時の日本とは違って）アメリカの西海岸は、それぞれが自分の好きな髪形や服装で自由に行動し、明るく開放的な社会のように見えました。

日本の社会は、基本的にまじめで、規律や礼儀作法にもうるさい社会です。日本にいるときは、それが社会の当然のありようで、日頃、それを特に意識することはなかったと、そのとき気づかされました。そして、日本の社会が（日本の）人々に順守を要求する日本の規律や礼儀作法とは、別のルールやマナーで人々が生きている社会が、現にあると体感したことは、新鮮な驚きとともに、日本の規律に縛られない解放感を知りました。

それと同時に、日本の社会、より正確にいえば、そのとき時点の日本で支配的な物事の見方や考え方に基づく社会の規律や常識などを絶対化せず、この日本を、より広い観点から相対的にみることも大事だと思うようになりました。

サンフランシスコのホテルで夜、テレビを観ていましたら、地元のカウンティ（郡）の警察の長の選挙放送がありました。日本の選挙放送でいえば都知事や県知事などの選挙と同じように、警視総監や県警本部長クラスの警察の長を、選挙で選ぶのです。画面には、西部劇の保安官が胸につけている星型の大きなバッジと同じようなバッジの画像と候補者が、映っていました。アメリカは、なるほど民主主義社会なんだ、と思いました。

　ニューヨークのマンハッタンは、高層ビルが林立していますが、端から端まで歩いても行ける程度の狭い地域で、東京の都心３区のほうが大きいでしょう。世界一の国際的金融街であるウォール街は、さらにそのマンハッタンの小さな一画でしかありません。世界のビジネスの中心地は、物理的には、意外と小さい都市空間の中に収まっていました。（このときの印象は、この10年後くらいにはじまった日本のバブルが、まさにバブルでいつまでも続かないものであることを、後に直感させるものになりました）

　ニューヨークからロスアンゼルスに向かう飛行機の中で、ロスアンゼルスに住んでいるというアメリカ人弁護士と隣り合わせになりました。数日前の日付のニューヨークタイムズを読んでいましたので、なぜ古いニューヨークタイムズを読んでいるのか訊きました。彼の返答は、ロスアンゼルスにいてもニューヨークタイムズの社説をチェックすることは必要だからだというものでした。クオリティーペーパーというのは、そういうものなのかということを知りました（いまはインターネットで世界のどこにいても即時に読むことができて便利になっていますが、他面フェイクニュースがとびかう等、情報環境は悪くなっており、情報のクオリティーの高さと信頼性は、以前よりはるかに重要になっています）。

■司法研修所

アメリカ旅行から帰って、司法研修所に入所しました。１クラス約50名で10クラスありましたから、同期生は約５００名です。同期生は20代から50〜60代と幅広い年代にわたり、出身は、日本全国の21くらいの各大学の卒業生です。いまならば海外の大卒者もいるかもしれません。

司法研修所では、民事裁判、刑事裁判、検察、民事弁護、刑事弁護の各実務について、当時は今とちがって2年間にわたり研修し、司法研修所を卒業すると、裁判官・検察官・弁護士のいずれかになります。

検察修習では、人間の生のリアルについて深く考えさせられる貴重な経験をすることができました。

犯罪者の取り調べでは、犯罪者の人生もあぶりだされます。罪を憎んで、ひとを憎まず、と教わりました。たしかに、犯罪行為そのものは悪いことと糾弾されるべきです。しかし罪を犯したひとも、私たちと変わらない人間なのです。そのひとにも人生があったのです。幸せになる権利もあったはずです。しかし、どのような事情があったかわかりませんが、罪を犯したひととして社会から断罪され、そのひとの人生には、もはや（事実上の問題として、ほとんど）不幸しか残されていません。一番気の毒なのは、もちろん被害者ですが、加害者や加害者の家族も、その人生の暗転を考えると、重苦しいものがあります。人間の生の裏面の不条理を考えさせられました。

（加害者の人権よりも）被害者の人権をどう考えているのか、と世間からよく刑事司法は問われます。殺人被害者の司法解剖にも立ち会いました。被害者はイギリス人のまだ若い女性でした。事件に巻き込まれ、殺されたのです。目の前にこれから解剖される無残な姿の遺体がありました。ひとりの人間の人生の終わりの姿です。この女性は、幸せになる権利を不当に奪われ、生命を終わらせられたのです。本当に無念だったでしょう。女性のご両親は、こういう形で愛する娘さんが死亡したことを知って、どう思ったでしょう。ご両親の嘆き、悲しみ、怒りを思うと、言葉になりません。本当に取り返しのつかないことというのは、こういうことです。まさに不条理の極みで、本当に悲しい人間の負の面です。

こういうときの、心の最後の拠りどころになるのは、宗教しかないのかも知れません。祈ることしかできないのかも知れません。いずれにしても、人間の生の危うさ、脆さも、人間の生のリアルな一面には、厳然としてあることを知りました。そして、それらをどう受けとめたらいいのか考えさせられました。僕が弁護士として、また人間として、どう生きたらいいのかを考えるときに、原点となる貴重な経験をさせてくれた検察修習でした。

司法研修所を卒業して、僕が弁護士になってから、もうすぐ約40年になります。年月が経つのは、実に速い。まさに光陰矢の如しです。

でも、この長いようで短い約40年の間（少し遡って約90年の間）に、世界では、何が起きていたでしょうか。そうして今は、どういう時代になっているでしょうか。

第2部　心ゆたかな社会へ

第3章　今、どういう時代なのか（弁護士の視点から見て）

近代社会は、資本主義経済をベースにして社会システム（制度）が構築されています。そこで、本書では、資本主義経済の移り変わりが、私たちの生活にどう影響しているかという視点を中心にして、僕なりの角度（＊後述）から、考察を進めていきたいと思います。

この約90年の間においては、何といっても１９２９年のウォール街の株価大暴落、世界大恐慌が、忘れてはならない大事件です。そうして１９３３年のアメリカのグラス・スティーガル法は、この大恐慌の教訓で、金融資本が暴走しないよう銀行、証券、保険の各業務を分離するものでした。

しかし、グラス・スティーガル法は、後に資本主義経済が金融資本主義の時代に移り変わる中で、１９９９年アメリカのいわゆる「金融近代化法」（グラム・リーチ・ブライリー法）により、撤廃されました。金融近代化法は、金融持株会社により、銀行、証券、保険を一つの母体で運営を可能にする金融コングロマリットの誕生を後押しするものでした。しかし、その金融コングロマリットは、２００７年のサブプライムローン問題で早くも大きな損失を受けることになります。

さらにつづく、２００８年のリーマン・ショックでは、百年に一度といわれるような世界的な金融危機になりました。グローバル化した金融資本主義の破綻は、綻びを拡大させないために量的緩和という応急手当はなされたものの、今の金融資本主義の矛盾を根本的に解決するものではなく、経済社会の健全性を回復する適切な処方箋がないまま、世界の政治と経済は、混迷をさらに深めながら、今日に至っています（さらに追い打ちをかけるように、今の新型コロナウィルス感染症のパンデミックが経済に大打撃を与えています）。

あらためていうまでもなく、法は、社会の安寧、公正な秩序を守るためのルールです。法は、議会が立法して制定しますが、政治が資本主義の強い力に飲み込まれてしまうと、議会で制定される法も、資本主義のいいなりのものになります。そうなると前述のように資本主義が暴走しても、それを止める法がない、ということになります。

資本主義と政治と法の関係が、このようなものであることを頭の隅に入れておいたうえで、いまの資本主義経済がどのようなものであるかを理解するために、１９６０年代以降に起きた主な経済事象について、次に年表に整理しておきましょう。

- 1993年～　クリントン政権が宮沢内閣に金融自由化圧力
- 1995年　国際資本が国境を自由に越えるようになる（国際資本の完全自由化）
- 1997年　**アジア通貨危機**→銀行の仲介機能の衰え→間接金融から直接金融へ
- 1997年　日本の10年国債利回り2.0％以下に（21世紀の利子率革命のはじまり）
- 1998年　ロシア危機を契機としてLTCM破綻
- 1999年　ITバブルの崩壊
- 1999年　アメリカ「金融近代化法」金融持株会社により銀行、証券、保険を一つの母体で運営可能にする金融コングロマリットの誕生＝グラス・スティーガル法の撤廃
- 2001年９月11日　アメリカ同時多発テロ（航空機突撃テロでNYのWTCビル倒壊ほか）
- **2006年５月１日**　日本「会社法」施行→大幅に市場原理を法律の世界に持ち込む
- **2007年６月～**　サブプライムローン問題
短期資金が回らなくなったことでファンドによるM&Aも資金的に頓挫
- **2008年９月～**　**リーマン・ショック**（リーマンブラザーズ破綻）→世界的金融危機
- 2010年～　ギリシャほかの国々（PIIGS）の財政の脆弱性が表面化（→ソブリン・リスク）
- 2012年７月　LIBOR（London Inter-Bank Offered Rate）**金利の不正操作**事件
- 2016年　イギリス、国民投票でEUからの離脱を決める（BREXIT）
- 2017年　日本「民法」改正でアメリカ流の契約社会へ
- 2018年　トランプ米大統領、国際的なWTO自由貿易ルールに反する姿勢に転換、TPP離脱
- **2020年**　新型コロナウィルス感染症の世界的拡大→世界の経済、社会の大変革の契機に

（参考文献）　本山美彦『金融権力』岩波新書
水野和夫『資本主義の終焉と歴史の危機』集英社新書

■（年表）1960年代以降の主な経済事象

- 1960年後半　特定の富裕層だけからなり株式も情報も公開しないヘッジファンドが急増
- 1970年代　アポロ計画終了で、NASA等から多くの科学者がウォール街に進出
  大金持ちが自己の資金をさらに増やすことができる金融工学の技術が開発される
- 1971年8月15日　**ニクソン・ショック**→ドルの対金交換の停止、管理通貨体制の崩壊
- 1972年　シカゴに通貨先物取引市場、ブレトンウッズ体制の固定相場制終焉
  債券や金利など様々な金融商品の先物取引、空売りを基本とするデリバティブの始まり
- 1973年　**オイル・ショック**、約18年間の日本の高度経済成長期が終わり、安定成長へ
- 1980年代　ジャンク・ボンド・ブーム→ハイリスク・ハイリターンの金融商品の浸透
  証券化、借入金を梃子として過剰に投資するレバレッジド・バイアウト
- 1982年　シカゴ商品先物取引所に株式指数先物
- 1983年～　石油の金融商品化→WTI先物市場
- 1985年　**プラザ合意**→円高不況、低金利政策、不動産・株式への投機を加速、バブルへ
- 1980年代半ば～　日米構造協議＝アメリカの日本に対する構造改革の要求（米→日、年次改革要望書）
- 1987年10月19日　ブラック・マンデー
- 1989年　ベルリンの壁崩壊、東西冷戦終結
- 1990年代　証券の自由化の流れ、先物取引やオプション取引などデリバティブ取引の急進展
- 1991年12月　ソ連邦解体
- 1991年～　日本のバブル経済崩壊

＊僕は、大学時代、デザインに興味があって、デザイン研究会というサークルに入っていました。デザイン研究会では、基礎的勉強として現代デザインの源流となった様々なデザイン思潮の歴史を教わりました。柳宗悦や、バーナード・リーチ、濱田庄司らの民藝運動、イギリスのウィリアム・モリスのアーツ＆クラフツ運動、ドイツのバウハウスや、フランスのアール・ヌーボー、アメリカのアール・デコ等々です。またデザインの世界は、新しい美を創造するために既成概念に囚われない自由を求めます。そのため自分の頭の中の既成概念の縛りから自由になるため、例えばブレイン・ストーミング（頭脳に嵐を起こす）という手法なども学びました。これらを学んでみると、デザインの世界は、革新的・感覚的であることがわかります。感性のひらめきが飛躍することは、創作過程では大いに歓迎されます。他方、後に弁護士になってみますと、法の世界は、保守的・論理的です。法的思考の過程では、論理の飛躍はアウト。デザインとは、ある意味で百八十度ちがいます。

どちらの世界も、それぞれの領域で存在意義がありますが、人間は、保守性から革新性、理性から感性の、幅広い多様な世界の中で生きている存在であることを学んできました。

そんな背景もあり、本書は、通常の弁護士の常識の枠から、少し、はみだしているかもしれません。

Ｉ　グローバリゼーション（市場原理主義）の時代（序論）

■世界の政治経済の大きな変化

振り返ってみると、約30年ほど前の１９８９年にベルリンの壁が崩壊して東西冷戦が終結。１９９１年には、国外ではソ連邦が解体し、国内では、日本のバブル経済が崩壊しました。約30年ほど前、国内外で、このように目に見える大きな社会の変化がありました。

そして、さらにもう少し遡ると、１９７３年にはオイル・ショックがありました。国内的には約18年間つづいた日本の高度経済成長期が終わりました。第４章でも触れますが、１９７３年のオイル・ショックは、世界の資本主義の歴史の中で、金融資本主義に大きく流れが転換しはじめる契機になったという意味で、エポックメーキングな歴史的事件でした。

■グローバリゼーションと日本の構造改革

世界の政治と経済の大きな潮流は、１９８０年代に入ると、いち早く金融資本主義化*したアメリカが主導するグローバリゼーションという流れになり、世界各国の規制緩和、自由化が進められてきました。グローバリゼーションを推進する政治経済のイデオロギーは、市場原理主義ともいうべき（モラルや節度の無い）新自由主義思想です。それはキャッチフレーズ的に言うならば、ヒト・モノ・カネが、世界を（国境の障壁に妨げられることがなく）自由に移動できることはよいことだと（非モラルを隠して）いうものです。そしてグローバリゼーションの主な狙いは、国際的な金融資本、産業資本の担い手たちが、国境の障壁に妨げられることなく、世界中で自由に経済活動をし、儲ける機会を拡張することができるようにすることです。

＊金融資本主義化とは、ここでは金融資本が、銀行、証券業務に加え、様々な金融商品取引や投機的取引を通じ、あるいは、世界の実体経済を担う産業界をも、投資家として直接・間接に支配する等して、利潤を得ようとする資本主義経済のありかたをいいます。

■日米構造協議

日本も、1980年代半ば頃から、アメリカの日米構造協議という（ほとんど内政干渉に近い）強い要求[＊]を受けて、それ以降、日本国内のさまざまな分野において（アメリカの意向に合わせる）構造改革が、なされてきたのは、周知のとおりです。

＊アメリカは毎年「年次改革要望書」により、日本の諸制度の改革を具体的に要求。なお、関岡英之『拒否できない日本』文春新書　2004参照

■市場原理主義にもとづく規制緩和、自由化

グローバリゼーションの流れにそって、日本の構造改革が進められましたが、それはアメリカの要求にそった市場原理主義にもとづく規制緩和、自由化でした。

もともと規制は、社会全体の利害を適切に規律する社会的制度として存在しています。例えば、いわゆる**社会的共通資本**は、人間らしく生きるために、誰にとっても大事なものを「社会の共通の財産」として守っていくべきもので、それは社会の責任と負担において適切さを確保しつつ維持運営されるべきで営利事業になじまない分野です。そのため公益にそった規制*が必要です。①自然環境、②社会的インフラ（道路、公共交通機関、上下水道、電力・ガスなど）、③制度資本（教育、医療、司法、行政など）の分野がそうです。

*宇沢弘文『社会的共通資本』岩波新書22頁は、公益にそった規律ないし規制の原理として社会的共通資本については、社会から信託された専門家による管理運営の方法を提示する。

また、社会的弱者や経済的弱者を保護するため、規制が必要である分野もあります。それらを野放しの利潤追求の自由競争によって蹂躙されないように、グローバリゼーションの市場原理主義に反対してでも、適切に規律するのが、本来、護るべき社会全体の利益であるはずです。ところが、グローバリゼーションの時代は、それに全く逆行しています。

■ミルトン・フリードマンの暴言

宇沢弘文『経済学は人びとを幸福にできるか』（東洋経済新報社）は、グローバリゼーションを推進する市場原理主義の考えを主導した経済学者ミルトン・フリードマンの驚くべき乱暴な主張（法律を変えてでも儲ける機会をつくる、儲けるためには何でもやる、それを阻止するものがあれば水素爆弾を使ってもいい、66頁等）を痛烈に批判していますが、このフリードマンのような荒っぽい考え方がグローバリゼーションの流れの根底にあるとすると、唖然とせざるをえません。

しかし、市場原理主義者（国際的な金融複合体[*]の利益を代弁するワシントンの政治家）に追従する日本の政・官・財・マスコミ・エコノミストたちは、そのように規制を緩和し、自由化すること（構造改革）が必要である旨を（実態はアメリカの要求に応えるものであることを隠し）、グローバル化した世界の流れ［＝国際化］に日本も対応するために必要だというような一見もっともらしい論法で、繰り返し強弁しつづけてきました。

＊本山美彦『金融権力』岩波新書　２００８

こうして、構造改革が、真に日本の社会、国民全体にとって、良いことなのかどうかの議論は、空回りしただけで、国民全体の真の理解に基づく了解を得ることなく、政治的な力で、長年つづいていた日本の社会の構造を価値観から転換してきたのが、今の現状です。

そうして規制緩和され自由化が進んだ結果、（悪い面の影響として）マネー至上主義者の参入が増えるなか、強者はますます強くなり、反対に弱者（市場原理主義の考えは市場の自由競争の結果の敗者は自己責任だとしてケアしません）は保護されなくなることから、相対的にますます劣位となる社会状況になってきています。市場の弱肉強食の無慈悲な競争はますます激しくなり、日本の社会も経済的格差が拡大して二極化する方向にあります。さらにモラルハザード（倫理の欠如）が社会の各界に拡がりはじめており、このままでは日本の社会の劣化が避けられないでしょう。こういうことでいいのでしょうか。

Ⅱ　弁護士の職業観の分裂の時代（ミクロの視点から）

■弁護士の仕事は、プロフェッション

今とちがって、１９８０年代半ば頃まで、弁護士の仕事は、ビジネスではない、医師や教師などと同じような（いわば人助けを使命とする天職*としての）専門職プロフェッショ

ンだと先輩の弁護士から言われてきました。また、弁護士は、民事訴訟の法廷では、原告側あるいは被告側の代理人になって、対立的地位に立つことになりますが、お互いに弁護士としての品位と信用を重んじ、訴訟追行における主張や姿勢は、紳士的でフェアであったように思います。

＊弁護士法の第1条は、弁護士の使命は「基本的人権を擁護し、社会正義を実現すること」であると謳っています。ただ現実には、弁護士も人間ですから霞を食って生きているわけではなく、収入を得なければならないのが実際です。しかし、この使命を忘れてはいけません。

自分の依頼者が、誤った利益の主張をしたり、権利主張が過剰であったりするときは、それが相当でないことを、依頼者に穏やかに説明し、是正するように助言したものです。お互いに弁護士は、そのようにすることが、依頼者を社会の良識人であることから逸脱しないようケアして依頼者の社会的信用を守り、依頼者にプラスになる（それに加えてそうすることが健全な良識ある社会の秩序を守ることにつながる）と考えて、言いにくいことでも言う。当時の弁護士は、そのようにしていたのではないかと思います。

このように当時の弁護士は、お互いに、対立する相手方の弁護士も、そのような姿勢で仕事をしていると信頼していましたので、相手方に弁護士が付くと、争いがこじれないで穏当に解決しそうだと安心したものです。

弁護士への相談者は、自分が或る法的トラブルをかかえ裁判になろうとするとき、自分は裁判に勝つのか負けるのか、裁判の予想を、最初に知りたがります。弁護士的に言うと、事案が勝ち筋なのか負け筋なのかということですが、その見立ては、1990年以前は、どの弁護士もほとんどはずれることがありませんでした。それは、僕たち弁護士も司法研修所で裁判官に任官志望の同期生と区別なく同じ民事裁判の修習をしてきたこと、すなわち僕たち弁護士も裁判官が判決を書くときの法的判断の思考回路を共通に学んできたことから、相談者の法的トラブルの事実関係が明確なときには、適用される法律条文から、ほとんど判決の結論がはずれることなく予想できたからです。*

そして相手方の弁護士の事実認識も、こちらと見る角度が違うだけで、双方の事実認識にそれほどの違いがないときには、ざっくりとした話ですが、裁判官・原告代理人・被告代理人の三者の見立ては、以前は、ほぼ同じ結論になっていたのではないかと思います。

争いはどんな事情があって起きたにせよ、いたずらに紛糾させることなく、穏当に解決することが望ましいはずです。事案の筋の見立てが、裁判官・原告代理人・被告代理人の三者でほぼ同じになるようなとき、三者がそれぞれの立場において穏当な解決を図ろうとしていたのではないかと思います。以前は、弁護士同士は紳士的でフェアであること、また弁護士と裁判官の間には（暗黙裡の）信頼関係があったように思います。

＊これは私の推測（仮説）にすぎませんが、近時、弁護士が判決の予想をしにくくなったのは、民事判決書の書き方が、１９９０年代に入っていわば自由化された新様式の書き方に変わり、裁判官が判決を書くときの法的判断の思考回路が読めなくなってきたからです。そのようなこともあり、弁護士の間で裁判に対する信頼が揺らぎはじめているような気がします。そしていつのまにか、以前は、弁護士と裁判官の間に共同してあったと思われる健全な良識ある日本の社会の秩序を守ろうという（暗黙裡の）信頼関係が消失して、弁護士も裁判官も、自分のことだけを考えるひとが増えてきたように思えます。

■弁護士の仕事は、ビジネスか

ところで、以前のそのような弁護士の姿勢には、お互いに弁護士同士で馴れ合っているに過ぎないのではないか、それでは依頼者の利益を守ることになっていないのではないか、という意見もあります。特に、弁護士の仕事はビジネスだと考える最近の若い弁護士は、依頼者の利益を最大限守ることが弁護士の仕事である、何が依頼者の利益かは、依頼者が決めることで、それが違法でない限り、弁護士が余計な口をさしはさむべきことではない、と考えているのではないかと思えるほどです（確かめたわけではありませんが）。

そして、いつ頃からそのように変わってきたのかは必ずしも明瞭でありませんが、僕の印象では、弁護士の仕事はビジネスだと考える人が増えてくるようになってから法廷での弁護士の主張や態度は、紳士的でフェアであった昔（1980年代半ば頃以前）とくらべて、いつのまにか、今は違法でなければ何してもいいと言わんばかりの、節度のない品のないものが増えてきたように思います。もし僕の印象が、事実として実証されたとすると、昔の倫理観の立場から見るかぎり、モラルハザード（職業倫理の崩壊）がはじまっていると言わざるをえません。それでいいのかと問いたくなります。

Ⅲ　日本の「司法」の変化（マクロの視点から）

前述したように1980年代半ば頃から、アメリカの強い要求を受けて、以降、日本国内のさまざまな分野において（アメリカ流に合わせる）構造改革がなされてきました。そして弁護士の世界を含む、日本の司法の世界も、その流れにそって、変わってきました。

大きく分けると二つに分けられます。比喩的な言い方になりますが、ハード面とソフト面の変化です。ハード面は、法改正による制度の変化です。ソフト面は、司法文化の一翼を担う弁護士ほか法曹の職業倫理観や、社会の契約観の変化です。しかし、司法のハードとソフトの変化が、日本の社会にどのような変容をもたらすことになるのか気になります。

1　司法のハード面の変化（法制度の改正）

法制度の改正は多岐にわたっていますが、ここでは近時の会社法と民法の改正について、僕が気になっている点だけを述べます。法改正の目的や趣旨、また個々の改正条文の解説は、既に多くの本（ネットを含む）がありますので、そちらを参照してください。

僕が気になっているのは、アメリカが主導するグローバリゼーションの流れに沿う形の法改正により、日本の社会がどのように変容していくか（予想を含む）、ということです。

(1)　会社法制度の改正

２００５年に新しい会社法が制定されました。それ以前から商法が、グローバリゼーションの流れに沿い、逐次、改正されてきましたが、それらの改正の総仕上げともいうべき形で、新しい「会社法」が制定されたのです。中村直人『新会社法・新しい会社法は何を考えているのか』（商事法務　２００５）は、まえがきで次のように書いています。

「新しい会社法は、市場原理を法律の世界にも持ち込んだものである。法と経済学の潮流である。それが果たして良いのかどうかはわからないが、当面市場原理に委ねる以外により優れた選択肢も見あたらない。市場原理は競争原理であり、勝者と敗者を生み出す仕組みである。そのことが日本の社会に定着するのか、日本型経営とどう整合するのか、それが核心であると思われる。」

ポイントを突いた指摘です。

■この制度改革により、誰が一番利益を受けるか

会社法（その数年前からの商法改正も含む）は、グローバリゼーションの流れに沿った改正として、それ以前の商法で規定されていた会社法の重要な基本原則である資本充実の原則などを廃棄する一方、従前にない制度改革として、会社の取締役その他の機関の権限や地位をどのように定めるか機関設計の自由化、配当など剰余金処分制度の見直し、種類株式制度の拡大、ストック・オプション関連での新株予約権の有利発行制度、（外国企業による日本企業の子会社化のための）合併等対価の柔軟化、組織再編行為（組織変更、合

併、会社分割、株式交換、株式移転）等がなされました。非常に細かく複雑な定め方になっています。この制度改革により、誰が一番利益を受けるのかは、いろいろな見方があると思いますが、僕は、国際的な金融資本主義の担い手だと思います（もちろん産業資本主義の担い手である日本のメーカー企業にも、グローバル化した世界市場での激烈な企業間競争に勝ち残るために、良くいえば弾力的かつ機動的な会社運営を可能にする制度改革なので、相応のメリットはあると思います）。

いずれにしても、この制度改革により、国際的な金融資本主義の担い手が、日本の会社の株式支配等を通じて、日本企業を直接・間接に支配しやすくなったこと、[*]日本企業の経済活動の成果を様々な形で（言葉は悪いですが）収奪することが可能になったことを見逃すことはできません。

＊なお、岩井克人『経済学の宇宙』2015　日本経済新聞出版社　293〜295頁、350〜352頁参照

■日本企業は、鵜匠に操られる鵜か

うがった見方をするならば、投資ファンド等が鵜匠で、日本企業が一生懸命に経済活動に励んで挙げた成果は、鵜が捕ってきた魚と同じ、このようになぞらえることができます。

もっとも、日本の企業も、すべてが鵜というわけではなく、鵜匠の場合もある、という見方もできるかもしれません。日本の国際収支の構造変化を見ると、すなわち日本の海外とのモノやサービス、投資の取引状況を示す経常収支の推移を見ると、約50年前（日本の高度経済成長期が終わった１９７３年より数年前）から現在に至るまでの間に、日本の国外取引の重心は貿易から対外投資に移ってきたといえるようです。それは日本の国際収支の経常黒字を支えてきたのが、貿易収支から、第一次所得収支に移行してきたこと、そして従来は、第一次所得収支の大半は対外証券投資収益が占めていたのが、最近は、Ｍ＆Ａをはじめとした活発な対外直接投資を背景に、直接投資収益の割合が高くなってきている、*といわれているところからわかります。

＊財務省レポート「我が国の経常収支の構造変化：『貿易立国』から『投資立国』へ」２０１８年6月20日

しかし、国民総所得（ＧＮＩ）*は、国内総所得（ＧＤＩ）に、いわば国外所得（貿易と対外投資から得られる所得の黒字分）を合算したものですが、国外所得は、日本の国民総所得の５％に満たないものです。この事実からわかることは、日本企業が海外での投資活動において、いわば鵜匠のような行動をしているとしても、全体からみると小さいということです。マクロ的に見れば、（日本企業の海外での活動の成否よりも）日本国内の上場企業が、海外の投資ファンドや海外企業に株式を買い占められ、株主資本主義により、ものいう株主に直接・間接に会社を支配される（経営陣は高業績を達成できないとクビになる畏れから会社として非人間的な苛酷な業績目標を強いられる）等、国内の事業経営が縛られて、無理のない健全な経営をする自主性を損なわれる可能性の方が問題なのです。

＊国民経済計算の平成17年基準（１９９３ＳＮＡ）から、国民総生産（ＧＮＰ）の概念はなくなり、同様の概念として国民総所得（ＧＮＩ：Gross National Income）が導入されたが、国内の景気を測る指標として重視される国内総生産（ＧＤＰ：Gross Domestic Product）は、国内で一定期間内に生産されたモノやサービスの付加価値の合計額であり、日本企業が海外支店等で生産したモノやサービスの付加価値は含まない。

■いまの日本経済は良いと自画自賛できるか

僕は市場原理主義には批判的な立場ですが、日本企業が、グローバリゼーションに翻弄されながらも、その流れの中で（むしろ）健闘しているという見方もあります。

しかし、市場原理主義に支配されたグローバリゼーションの流れの中で、個別的に見れば、健闘している日本企業もありますが、熾烈な経済競争のため、様々な無理を強いられ、従業員の労働環境が非人間的レベルの劣悪な会社や、経営者が不正なごまかしをする会社が増えてきており、（単純に）いまの日本経済のパフォーマンスは良いと自画自賛することはできません。

■成長戦略の限界と市場原理主義の終焉

第４章でも触れますが、有力説*によれば、世界の資本主義の歴史を超マクロ的に見てみると、パイが拡大していくことを可能にする経済成長のフロンティアが（実質的には）もはや消失したこと、地球環境や資源の有限性からくる制約があること等から、永続的に経済成長を追求することができる資本主義は終わりを迎え、21世紀は成長のない定常社会に変わらざるをえなくなると予想しています。

＊水野和夫『資本主義の終焉と歴史の危機』集英社新書　２０１４
広井良典『ポスト資本主義』岩波新書　２０１５
見田宗介『現代社会はどこに向かうか』岩波新書　２０１８ほか
なお、岩井克人『二十一世紀の資本主義論』ちくま学芸文庫　２００６参照

■市場原理を持ち込んだ「会社法」の寿命

市場原理主義は、規制やモラルによる規律を排斥する新自由主義思想を本質としており、市場の自由競争にまかせればよいというものです。しかし、規制やモラルの無い市場での（パイの奪い合いの）自由競争は、弱肉強食の無慈悲な競争をまねくだけで、社会は荒廃するだけです。既にその弊害は、世界中で起きており、人間社会は、そうした事態を許容できなくなってきています。そしてその状況に追い打ちをかけるように、今般のコロナ禍で、グローバル資本主義経済システムは、思わぬ形でその脆弱性を露呈することになり、もはや根底からの大きな変革は避けられないでしょう。市場原理主義は、早晩、終焉することにならざるをえません。そのときは市場原理を持ち込んだいまの「会社法」もまた、改廃を含めて、大きく変わっていかざるをえないでしょう。

⑵ 民法「債権法」の改正

このたび、民法が、債権法を中心として大幅に改正されて、2020年から施行されました。民法は、国民の私法上の権利・義務に関する基本法です。民法は、明治29（1896）年に公布されてから、細かな改正はこれまで何回もありましたが、敗戦による戦前の「家」制度の廃止にともなう親族・相続編の大幅な改正を除けば、今回の「債権法」を中心とした改正は、たんなる大幅な（量的）改正という意味をはるかに超えた、法体系の質を変え、*日本社会のありよう（質）まで変えるインパクトを秘めた「革命的」な改正といえます。

＊西洋近代の法体系は、大きく大陸法系と英米法系に分けられます。今回の民法の改正は今日まで約１２０年の歴史があり日本社会に馴染んだ大陸法系から、英米法系（アメリカ流の契約社会）への転換のはじまりと見ることができます。

■日本の民法は、大陸法の系譜

日本の法は、明治維新により急速な近代化をはかるため大陸法系のフランス法とドイツ法を模範として、これをベースに構築されてきました。約１２０年前から大陸法系の理論、考え方を基本として、日本の社会に適合するように、解釈論と判例が積み重ねられてきました。そして民法の制定当初から１９６５年頃までの間に民法の判例・学説が到達した解釈論を集大成したのが我妻栄先生（１８９７〜１９７３）です。それは「我妻民法」といわれるくらい司法界に絶大な影響力を有し、日本の私法の領域における解釈の基本的な指針になっていました。実社会においても（今日に至るまで）契約を締結し、運用する際の重要な指針であったのです。そしてそのような民法は、これまで格別の不都合もなく日本の社会で問題なく機能していました。国民の側から民法の改正が必要だという声があがっていたわけでもないのです。そうであるのに（アメリカからの要求で）改正されました。

■大陸法から英米法へ

今回の「民法」（債権法）の改正にあたっては、立法作業の段階から、手続的にも実体的にも、不明朗なことが多く、*その改正は、真に日本の社会全体にとって良いことなのか疑問が残されたまま、政治的な力で、日本社会の契約観を、アメリカ流の契約観に「転換」させようとするものです。

*鈴木仁志『民法改正の真実』（講談社　2013）は、今回の民法改正が、アメリカの要求を受けて改正されたものであること、内容的にも多くの問題を含んだものであることを詳細かつ具体的に論じています。

■アメリカの司法文化・「契約観」について

このような改正の経緯を考えると、アメリカの「契約観」は、そもそもどういうものなのか、日本とどう違うのかを知っておくことが重要です。アメリカの「契約観」を知れば、契約社会であるアメリカの司法文化*がどのようなものであるかがわかりますし、またアメリカの司法文化が浸透しつつある流れに（もし何もせず受身的に）流されていった場合には、これからの日本が、どのように変容していくのかを、予想することができます。

＊アメリカの門戸解放の圧力により、外国の弁護士が日本国内で法律事務をできるようになったのは1987年以降ですが、当時、日弁連は、外国法事務弁護士という資格を付与する特別法の制定に反対していました。そのとき一番強く反対していたのは、アメリカの司法文化を体験していた国際弁護士でしたが、アメリカの（悪い）司法文化を嫌悪し日本にアメリカの（悪い）司法文化が入ってくることを本当に憂慮していました。

■福沢諭吉の契約観とホームズの契約観

京都大学の道田信一郎先生の『契約社会――アメリカと日本の違いを見る』（有斐閣1987）によると、アメリカと日本の「契約観」の違いを、（要約すると）次のように書いています。

日本の契約の原理は、口頭でも契約は成立するが、アメリカの契約法の原理は、種々の口頭契約を認めないルールを制定している（2頁）。そのためアメリカでは、例えば契約書がつくられると、口頭証拠（口約束の合意があったという証言）を法的に差別（証拠として認めないものと）する（4頁）ため、結果として、口頭契約（口約束の合意）の成立が認められることはない。

また日本では（口約束の合意であれ、契約書面のある契約であれ）約束・契約を守ること*は（道徳として守るべき）信義である。日本民法の第1条2項が定める信義誠実の原則は、このような日本の文化・道徳からみちびかれてくるものである（167頁）。

*福沢諭吉は、1867（慶応3）年、明治維新の前年の冬、江戸（東京）芝にある某大名屋敷を355両で買う口頭の約束をしたが、幕末の内戦の火事騒動で江戸中の屋敷の価値が暴落したので、その気になれば、半値以下で買うことができた。しかし、福沢諭吉は、約定書がなくとも、売買の約束をした以上は、約束どおりの金を払わなければならないとして自らの約束を守った。そして慶應義塾は、この屋敷で開かれたという。（165頁～）

これに対し、アメリカでは、口頭の約束の合意であれ契約書のある契約であれ、およそ約束・契約は守られるべしという道徳は、契約法の世界からは追放されて*無い（23頁）と理解するのが、アメリカの司法文化の支配的な傾向のようです。

*1897年に、後に連邦最高裁判事として著名になるホームズは、法と道徳との混淆を強く戒め、道徳的意味をおびた言葉を法から全面的に追放すべきであるとし、（約定）賠償金を支払うなら、契約を守らなくても（道徳的にどうかは問わず）法的には、勝手次第というドライでわりきった

考え方を表明した（21～24頁）。このホームズの考え方は、アメリカ司法界に大きな影響力を及ぼし、アメリカの契約観の主流になったとされる。

ホームズ判事のこの契約観を著した論文が発表された1897（明治30）年に、日本では、64歳になる福沢諭吉が『福翁自伝』を口述筆記しはじめたということです。福沢諭吉の契約観は道徳的で、ホームズの契約観と異なり、その相違はまことに対照的です（24頁～）。

（僕は、アメリカの司法文化の現況について最新の知見は知りませんが、グラント・ギルモア『契約法の死』〈森達ほか訳、文久書林「比較法叢書」1979〉のように、アメリカでも取引上の信義則を認める判例や、それと軌を一にする約束的禁反言の法理も生まれてきていること等から、ホームズの契約観は古典的で終焉したとして批判する見方もあるようです〈前掲、鈴木仁志274頁〉。しかしそれでもなお、ホームズの〈無モラルの〉契約観は完全に終焉したものとは言えず、アメリカの司法文化の体質に、現在でもなお支配的な影響力を有しているのではないかと思います。そして、本書で、いわゆるアメリカの〈悪い〉司法文化というときは、道徳やモラルとは無縁のドライでわりきった法のレベルで、違法でなければ何をしてもよいという考え方をするひとたちが体現する司法文化をいい、市場原理主義を本質とするグローバリゼーションの流れを、アメリカ側の立場で法的にサポートしてきたのは、多くはそのような考えのひとたちではないのか、と僕は推測しているのです）

■改正民法に残された課題

結局、日本の近未来のゆくえを考えるとき、今後のグローバリゼーションの流れをどう見るか、それがいつまで続くのかの予想にかかってきます。日本の多くのひとや企業は、グローバル市場と無縁とまでは言いませんが、実はほとんどが日本の国内市場だけで生活を成り立たせています。そうであれば、日本の国内法である民法は、アメリカ流の（モラルの無い）契約観に転換させるのではなく、日本が歴史的に形成し社会に受け入れられている日本流の（信義誠実を重視するモラルの有る）契約観に基づいて規律されるローカル・ルールのままであっても一向にかまわなかったのではないかと思うのです。

問題の多い今回の民法改正は、松尾弘慶應義塾大学教授（『週刊エコノミスト』「ビジネスが変わる民法改正」特集号　２０１７年7月11日号　37頁）がいみじくも言うように、日本が１００年以上も馴染んでいた大陸法系から英米法系へ、いいかえれば、我妻民法の大転換につながることから、その変化の方向を、日本の社会が真に受け入れられるかどうか（立法段階では尽くされていなかった）国民的な議論を盛り上げる必要がある、と思います。

個別の改正条文の中には、良い改正のものもありますが、それでもアメリカ流の契約観を色濃く反映している改正の根幹の考え方は、果たしてその導入が日本社会にとって本当に良いのかどうか、今後とも注意深く見ていかなければならないと思います。その観点で注意すべき改正条項は、債務不履行による損害賠償に関する民法４１５条と関連条文です。その点は次の⑶で、さらに論じることにします。

⑶　アメリカ流の契約観に変えようとする改正

今回の民法改正で、改正民法４１５条の文言は、いささか複雑で改正のポイントがどこにあるのか、読んだだけでは、一般人には、わかりにくいところがあります。

■改正法は、アメリカ流に契約条項で責任判断か

改正民法では、契約を決めた以上は実現可能性に関係なく、契約は有効となります。契約締結の前後に関係なく、品物の引き渡しができなくなっていても、債権・債務は発生し消滅することはない。債務を免れるためには、免責の特約など、契約条項に免責事由を明記しなければならないという立場への大転換を行っています。

改正民法の考え方は、契約に基づく債務は絶対的で、契約をした者は（**契約は契約だ**ということで）契約を約束どおりに実行しなければならず、それをしなければ実行によって得られたであろう利益を逸失した損害の賠償義務も負い、その義務を免れるには免責条項を契約で定めなければならない、という英米法の考え方の影響を受けたものです。

これは責任の根拠をもっぱら契約に求め、個々の契約条項の定めによる問題解決を志向する考え方で、債務の不履行が「契約その他の債務の発生原因及び取引上の社会通念に照らして債務者の責めに帰することができない事由」による場合に免責を認めた規定（改正民法４１５条１項ただし書）に表れています（前掲、松尾弘38頁。傍線は本書で付記）。

本書で、改正民法４１５条１項ただし書の文言中「契約」のところに傍線を付したのは、この規定の文理解釈では「　」内の文言は一体として読むべきであるとする次記の解説もありますが、僕は、「契約」（免責条項）の重みが決定的で、「取引上の社会通念に照らして債務者の責めに帰することができない事由」は、実際には、付けたし程度の意味しかないのではないかと危惧するからです。すなわち、契約（免責条項）が定めてないときには、いくら「取引上の社会通念に照らして債務者の責めに帰することができない事由」が有ると言ってみても（裁判では、おそらく）免責が認められることはないだろうし、また契約（免責条項）が定めてあれば、取引上の社会通念に照らして免責を認めるのは不当な場合であっても、（裁判では）免責が認められることが多いのでは、と予想されるからです。

これに対して、改正民法４１５条１項ただし書は、債務不履行が「契約その他の債務の発生原因及び取引上の社会通念に照らして債務者の責めに帰することができない事由」による場合に、帰責事由不存在による免責を認めた規定であり、帰責事由（反対から見れば免責事由）の存否については、契約書の文言のみならず当該契約に関する一切の事情に基づき、当該契約に関する取引通念を考慮して総合的に判断する趣旨と解される。それゆえ、今回の改正により、損害賠償責任の免責事由についての実務が大きく変容するとは思われない。という解説（日本弁護士連合会『実務解説・改正債権法』弘文堂　108～110頁）もあります。

（なお僕は、自分の予想が杞憂にすぎず、日弁連の解説どおりになることを願っています）

■改正民法を、どう受けとめるか

改正民法の考え方は、ざっくり言うならば（アメリカ流にならい）契約に基づく債務はいわば絶対的で、契約をした者は（**契約は契約だ**ということで契約条項に明記した）契約の約定どおりに実行しなければならないというものです。

この点について（立法検討段階から）ローマ法研究の第一人者である木庭顕東京大学名誉教授も「契約の解釈に責任の区分が全面的に依存することとなる」との危惧を表明し、「前代未聞の厳格責任主義であり、契約法の基本に反する」と批判しています（前掲、鈴木仁志250頁）。そのほかにも多くの批判がありますが、それらは（改正が実行されたいま）将来の見直しに向けた立法論として、今後も十分に意味があり、傾聴に値するものです。

改正民法によって、実質的に「契約自由の原則」が文字どおり復活して、日本も**契約は契約だ**とドライにわりきり、信義（モラル）も公平も顧慮されないような社会に変容していくのでしょうか。それで本当にいいのでしょうか。

■我妻栄先生の「契約自由の原則」に対する警鐘

日本の民法学の泰斗である我妻栄先生（前述65頁）は、近現代の法の歴史にふれながら契約の社会的な在り方、契約自由の原則について、要旨、次のように述べています（傍線は、本書で付記）。

人類が、社会共同生活において、その幸福を追求し向上発展をはかるためには、自己の人格の尊厳を確認されるとともに、身分と財産関係において、種々の利益を（他から侵害されることなく）独占的に享受することを必要とする。近代国家は、人類の社会共同生活の向上発展のために組織されたものである当然の帰結として、個人に対して、この社会的利益の独占的享受を保障するものとして、その利益を享受する力をその人の権利（私権）として認めた。私権は、その内容である社会生活における利益（権利者の享受する利益）の差異にしたがい分類すれば、人格権・身分権・財産権・社員権などの種類が挙げられる。

すべての私権は、法によって認められるものであり、法は社会全体の向上発展を目的とするものであるから、私権は、その成立のそもそもから、社会全体の福祉と調和する限りにおいてだけ、存在しうるものである。

しかるに、近世の個人主義的法思想*には、私権、ことに個人の自由と財産についての私権をもって、国家以上の絶対不可侵のものとなし、法以前の天賦不可譲のものと考える傾きがあった。しかし、この思想は、封建制度を打破して個人の尊厳を確認するためには、限りない大きな功績を残したけれども、理論的に是認しえないだけでなく、現在の法思想にも適合しない。のみならず、この思想が、私権の絶対不可侵性を強調したのは、それによって社会共同生活がどうなってもかまわないと考えたのではなく、そうすることよって社会全体の向上発展が企図されると考えたからであった。したがって、19世紀の末から、主として富の偏在による社会事情の変化のために、その思想によっては、もはや社会全体の向上発展を企図することが不可能となった以上、私権の社会性・公共性を確認することは、その思想の進展だということができる。戦後の改正によって加えられた民法第１条は、基本原則として、この私権の社会性を宣言したものである。（『新訂民法総則』32～33頁）

近世法は、すべての個人に私法上の権利の主体となることのできる地位（権利能力）を認めたが、この権利能力者の具体的な生活関係は、私有財産と自由契約により形成される。しかし、個人の自由契約によって社会生活を規律することが最も適当だと考えた近世法の理想は、現実には破綻した。近現代の契約は個人の自由な社会生活関係を適切に創造する制度ではなく、資本主義の発達とともに、財産所有の偏在を生じ、所有する者が所有せざる者に対し、その経済的に優勢な地位を利用する手段と化するようになり、組織化し集中した所有形態と結合して、他人を支配する制度に転化するに至った。現代法の下においては、「契約自由の原則」は、当然、その絶対性を奪わるべきである。（同２３５〜２３７頁）

＊我妻先生が新訂民法講義を執筆されていた１９６０年代において、既に近代資本主義における富の偏在をもたらした契約自由の原則に対しては、我妻先生が批判するだけでなく、日本の法制度においてもそれを修正する各種規制がなされていたのです。しかるに（近世の個人主義と自由主義思想から派生した）新自由主義ないし市場原理主義思想は、「契約自由の原則」を制限する各種の規制も、金融資本等の資本の担い手が自由に儲けるためには邪魔なものとして、規制緩和、自由化の動きを様々な形で、今の今まで、推し進めてきているのです。
（アフターコロナの時代には、新自由主義ないし市場原理主義思想は、もはや不要です）

２　司法のソフト面の変化（日本社会の契約観は変わるか）

■改正民法の解釈運用はどうなるか

問題が多い改正民法ですが、改正された以上は、実務のミクロの現場では、それに対応するしかありません。いろいろな考えがあるとは思いますが、私見は、次のとおりです。

これまでに述べてきた債務不履行による損害賠償責任の分野で気になる点を簡単にいうと、責任の有無、責任の範囲は、契約条項にどのように明記され、またその契約条項を裁判所がどのように解釈するだろうか、という点です。

アメリカでは、たとえ不可抗力によって不履行や損害が生じる場合であっても、それを免責事由にしたいのであれば、契約書に書いておかなければならないと言われているようです。日本でも改正民法が施行されて、アメリカのようになるのであれば、念のため網羅的に免責規定を大量に盛り込むという事態になるかもしれません。

また、改正民法４２０条は、損害賠償額の予定（違約金）に関する規定です。改正前の民法にも同様の規定がありましたが、改正民法が（アメリカ流に）契約条項を重視する姿勢に変わるとすると、それを受けて違約金を定める契約条項について、裁判所がその契約条項をどう解釈するだろうか気になります。これまでのように違約金の内容が行き過ぎたものであれば、信義則（民法1条2項）違反や公序良俗（民法90条）違反ということで無効にすることがあり得るのか、それとも**契約は契約だ**とわりきって、その違約金条項をそのまま是認してしまうのか、ということです。

■ **問われる弁護士の職業倫理**

弁護士の職業観が、この20～30年の間に変わってきて、弁護士の仕事はビジネスだとわりきる弁護士が、若手を中心に増えてきたことは、前にも述べました。ざっくりとした印象ですが、（善し悪しは別にして）**契約は契約だ**とわりきる弁護士も、増えてきたように思います。また、これもざっくりとした印象ですが、アメリカ流のビジネス感覚に近いと思われる（強欲な）会社の契約書には、すでに責任の免責条項や（容赦ない）違約金条項が、「契約自由の原則」を盾にしてさりげなく記載されており、それを認める裁判例も既に出始めています。

弁護士にとって、契約に関する仕事（契約締結交渉、契約書の作成、相手方作成の契約案の締結前チェック）は、訴訟代理とならんで主要な仕事です。契約書の内容は、最終的には依頼者が決めるものですが、それでも例えば、依頼者が違法とはいいきれないが、信義（モラル）に反するような内容の契約条項の実現を望むようなとき、（それは相当ではないという意見を述べることなく）依頼者の企図をそのまま実現できるように法的にサポートするのが弁護士の仕事（ビジネス）だとわりきる弁護士が、残念ながら、います。

ただし、その弁護士の振る舞いは（依頼会社からは評価されるかもしれませんが）、その弁護士自身や、その弁護士の依頼会社が社会からどう評価されるかは、また別問題です。

■日本の司法文化と契約観のゆくえ

契約は、通常、二当事者間で結ばれ、それぞれに権利・義務を発生させます。契約締結交渉にあたっては、少しでも自分の側が有利になるように、お互いに交渉では様々な駆け引きをしますが、信義（モラル）に反しない駆け引きであれば、問題はないでしょう。

しかし、最近は、アメリカ流の信義（モラル）を考えない契約観の影響か、相手の無知や無思慮、不注意に乗じ契約条項に狡猾なワナ（うっかり見過ごしそうな事柄に、さりげなく高額の金銭支払義務や違約金を発生させたり、責任逃れの免責条項など）を仕掛けて、相手に思わぬ不利益をもたらす契約事例が出始めています。そして、そのような契約条項でも（公序良俗に反するとは言えない等として）有効と認める裁判例もあるのです。
ですから、契約を締結するときには、（狡猾なワナの契約条項に）嵌められないように、契約条項を注意深くチェックしなければなりません。

どうもアメリカの（悪い）司法文化にあっては、相手を嵌めるのは悪いことだというモラル感覚はなく、むしろ、嵌められる方が悪いのだ（自己責任）と考えているのかもしれません。そうであれば、泥棒が「盗まれる方が悪いのだ」と言うのと、あまり違わない感じがして私は嫌ですね。このような信義（モラル）を考えないような契約観や司法文化を、是として日本社会に導入することは、よくよく考えたほうがいいのではないかと私は思うのですが、どうでしょうか。

■法曹の責任

司法の一翼を担う個々の裁判官・検察官・弁護士も、一人ひとりは、主権者たる国民の一人であり、そのひとりの人間としての立場からみたとき、いまの日本の司法のありようについても、これでいいのだろうか、と省みることはあるのではないでしょうか。そしてもし自分のできる領域で、（職業倫理と良心に照らし）改めた方がいいと内心思えることがあるならば、これからでも小さな改革から実行してみてはどうでしょうか。法曹界の人は、社会から（日本の社会を善くすることを）負託され、信任＊されて、その地位を認められているのですから、その原点を忘れてはならないと思います。

＊なお、岩井克人『経済学の宇宙』２０１５　日本経済新聞出版社　３５４〜３６０頁ほか参照

近代社会は、資本主義経済をベースにして社会システム（制度）が構築されています。資本主義経済の移り変わり、特にグローバリゼーションの流れにそって１９８０年代の半ば頃から、アメリカの強い要求を受けて日本国内のさまざまな分野で（アメリカ流に合わせる）構造改革がなされ、弁護士の世界を含む日本の司法の世界も、その流れにそって変わってきた様子をざっと見てきましたが、次章では、資本主義の歴史をさかのぼって資本主義経済の基本的な構成要素（貨幣、利子、資本、利潤）のそもそもの成り立ちを確認しながら、現代のグローバル資本主義の時代において、どこが問題になるのかを考えてみましょう。

第４章　資本主義という常識

Ⅰ　そもそも資本主義とは、どういうものだろうか

私たちは、グローバル化した現代の資本主義経済システムの中で生きています。しかしそのシステムは、世界の政治・経済・社会にさまざまな問題をひきおこしています。ではどうしたらよいでしょうか。簡単な問題でないことは承知していますが、それでも何とか解決の糸口を見つけたいものです。それには先ず対象をよく知らなければなりませんが、資本主義とは、利子を容認する貨幣経済の下で、資本の無限の増殖を目的として、利潤を永続的に追求していく経済活動の総称である、[*]という理解から出発しましょう。

その上で資本主義経済システムの基本的構成要素である貨幣、利子、資本、利潤のそもそもの成り立ちをおさらいしたうえで、グローバリゼーションの時代における今の資本主義の実態を調べてみることにしましょう。

＊岩井克人『二十一世紀の資本主義論』ちくま学芸文庫　80頁

1　貨幣および利子について

(1)　貨幣について

人間社会における貨幣は、最初は商品交換を媒介するものに過ぎませんでしたが、貨幣があらゆる商品という富と交換できることから、貨幣それ自体*が、富そのものとなりました。貨幣の保有は、生存に必要な衣食住などのモノの獲得を容易にするだけでなく、多くの貨幣を保有すればするほど、保有者の社会的な力が強くなること等から、人間の貨幣を獲得しようとする欲望は、近代になると（何らかの社会規範による制限がないときは）資本主義と一体化して、ますます増大する性向が強くなってきています。

しかしながら、（冷静に見てみるならば）貨幣は、通常の商品（典型的には衣食住の需要を満たす実体的な使用価値のあるモノ）と違い、それ自体には、実体的な使用価値はありません。そうであるのに人間がその獲得を欲する貨幣を、貨幣たらしめているのは、人々がそれを貨幣として認めている（貨幣が将来的にも交換価値を有していると皆が信じている）という信頼が、大前提にあるからです。

*貨幣を貨幣たらしめている理由については、他に貨幣法制説や貨幣商品説などありますが、本書は、貨幣は貨幣であるからという自己循環論法の岩井説によります。

わけても（金との兌換ができない）紙幣は、あらゆる商品と交換が可能であるという信頼のフィクションの上に成り立っています。すなわち紙幣はそのフィクションの根底が崩壊するときは、単なる紙屑になってしまう危うい存在です。

近時、ギリシャ発の信用不安が顕在化して、EU全体に金融不安が波及する可能性が高まったときがありましたが、最悪の場合、信用不安が連鎖してアメリカにも波及し、アメリカまで倒産（デフォルト）するということもあり得ました。しかし、そのような事態を招来しないようにとEUやアメリカは、いわゆる「量的緩和」に踏み切りましたが、それはユーロやドル紙幣の大増刷につながるから、悪くするとハイパー・インフレを招きかねないものでした。もしハイパー・インフレになれば、貨幣の交換価値が限りなくゼロに近づくため、人々がお互いに、誰も貨幣を（交換価値を有している）貨幣として受け取ってくれない事態、つまり貨幣が通用しなくなる事態に陥ります。そうすると社会の血液である（通用する）貨幣が、消滅するから、経済の大混乱は避けられないことになります。第一次世界大戦後のドイツ、ソ連邦解体後のロシア、現在ではベネズエラ等が、ハイパー・インフレによる混乱を経験しています（なお、メイン・システム上のドル通貨が万一、信用不安から機能しなくなっても、地域通貨が通用するサブ・システムが存在すれば、経済混乱の影響は、軽くて済むだろうと思います。後述）。

⑵ 利子について

利子は、受け取る債権者側にとっては不労所得だから有り難いものですが、利子を支払う債務者側にとってその負担は、しばしば大変な重荷になります（高利だと利子を返済するばかりで元本はなかなか減らない）。今日、ギリシャをはじめとする各国のソブリン・リスクの核心にも国債の利子支払不能の恐れが（もちろんその先には元本償還不能リスクも）あることは周知のとおりです。日本も、たとえば２０１２年度の国債利払い費は９兆８５４６億円（１日約２７０億円）という巨額なものです。

このように利子の支払は（大変なことではありますが）、今日の経済常識では疑うことなく当然に支払うべきものとして資本主義経済システムの根幹に組み込まれています。しかし、歴史的には、後述するように、利子は禁止されたり、日本では、神仏にかかわる特別な身分の者だけが（神仏に対するお礼として）利子に相当するものの受領が認められ、私的な利銭の貸付は認められていなかった時代もあったのです。

⑶ 利子についての歴史

一神教（ユダヤ教・キリスト教・イスラム教）の世界では、利子（貨幣を貸したことにより貨幣が「利子」という形で自己増殖する仕組み）が、（おそらく人間の欲望拡大の歯止めを壊すものとして）宗教原理的に否定されていました。しかし、ユダヤ教は利子禁止規定をユダヤ民族にだけ適用して、異教徒や異民族からは利子を取ることを認め、またキリスト教も、大論争のすえ13世紀になって高利ではない利子付き金融を認めるようになりました。このように利子は、宗教原理的ないしは倫理的理由や、共同体内部の人間関係に亀裂を発生させないためという社会学的な事情などから、その生い立ちは、否定的なものだったのです。*

＊中沢新一『緑の資本論』ちくま学芸文庫

また、網野善彦『日本の歴史をよみなおす（全）』（ちくま学芸文庫）によれば、モノを貸して利息を取るということが一体どうしてできたのか不思議なことだが、日本の社会の場合、金融の起源を古く遡ってみると、出挙《すいこ》に帰着します。出挙は、稲作と結びついており、最初に穫れた初穂は神に捧げられるが、それは神聖な蔵に貯蔵され、この蔵の初穂は、次の年、神聖な種籾として農民に貸し出されます。収穫期が来ると、農民は蔵から借りた種籾に、若干の神へのお礼の利稲（利息の稲）をつけて蔵に戻す。このように金融行為の成り立ちは、最初は、神のものの貸与、農業生産を媒介とした神への返戻、という形ではじまったが、13世紀後半くらいから、聖なるものだけでなく、私的な利銭の貸し付けのような世俗化した金融行為も広く行われるようになったという。しかしながらここで注目すべきは、利銭については反発から徳政一揆があったり、室町時代の徳政令で廃棄されたのは、私的な利銭だけであったこと、これに対して当時の金融のなかには、神物の上分米や仏物の祠堂銭の貸し出しも行われていたというが、これには徳政令は適用されなかったといいます。

２　資本と利潤について

資本とは、何らかの手段・方法により蓄積された貨幣（基金）を「もとで」として、営利事業により利子・利益（利潤）を得るために使われるものです。また利潤は、事業の総収益から一切の経費を差し引いた残りで、事業家（資本家と事業家が同一の場合には資本家）の所得となるもの、すなわち儲けです。なお資本主義が高度化し、いわゆる所有と経営の分離があると、資本家（株主）と事業家（経営者）に分かれ、儲けは株主に、儲けの分け前（報酬）は経営者に帰属するようになります。

3　資本主義と利潤が生みだされる仕組み

⑴　資本主義の歴史は古い。たとえば古代メソポタミアの商人は、六千年以上も前から大きな船団を組んでユーフラテス川を行き来したり、小さな隊商を組んで砂漠地帯を渡ったりして、様々なモノを広範に交易していました。商人は地理的に離れた二つの市場のあいだに入り込み、一方の市場で安いモノを仕入れ、他方の市場で高く売って、利潤を生みだしていました（商業資本が利潤を生みだす仕組み：利潤は、二つの市場におけるモノの価格に差異があるから、生み出されます）。

そして、このような商人資本の活動によって、太古から近代まで、地球上に点在する大小遠近さまざまな市場が、紆余曲折を経ながら次第に結びつけられていきました。

⑵　18世紀後半からの産業革命とともにイギリスに登場した産業資本主義は、19世紀から20世紀にかけて、西ヨーロッパや北アメリカ、日本にも根をおろします。それは、工業製品を売りさばく場として、先ずそれぞれの国民国家の内側のいわゆる国内市場を拡充していくことになります。さらにスモッグが地球を覆いはじめるのとほぼ比例して、大量生産された工業製品を安価に売りさばく場として、それまで地球上に点在していた各国の市場をも二次元的に覆いはじめて、工業製品の輸出入貿易の世界市場

が、国内市場と重層するかたちで成立するようになります。

（産業資本が利潤を生みだす仕組み：産業資本が利潤を生みだすためには、農村共同体に滞留する過剰な労働人口や海外からの移民の圧力によって、都市の工場労働者の賃金がその生産性にくらべて低く抑えられることが必要です。すなわち製品売上額と人件費に差異があることが必要でした。それに加えて先進国が資源を安く手に入れることができ、効率的に生産した工業製品を高い値段で輸出できたとき、すなわち1970年代のオイル・ショックの前頃までは、資源と製品の価格に大きな差異があったことから、先進国の産業資本は〈国内工場で製造し輸出しても〉儲かったのです）*

＊水野和夫『資本主義の終焉と歴史の危機』集英社新書　2014

(3)　二十世紀の最後の四半世紀（1975年ころ以降）、市場経済は、言葉の真の意味で「グローバル化」しはじめ（＝グローバリゼーションの時代になりはじめ）ます。それは、農村共同体に滞留していた過剰な労働人口が枯渇し、海外からの移民も制限され、もはや国内では低賃金で労働者を調達できなくなってしまった先進資本主義国の産業資本が、相対的に賃金の安い発展途上国や新興工業国に積極的に投資するようになったからです（製造業の空洞化）。また、規模の経済性を求めて巨大化し、国内市場を狭く感じるようになって、ＧＡＴＴ（関税と貿易に関する一般協定）に基づき関税率などが大幅に引き下げられた機会に乗じて、国民国家の国境を越えて積極的に海外で販売活動をおこなうようになったからです。

（本項の⑴～⑶は、岩井克人『二十一世紀の資本主義論』ちくま学芸文庫　80～82頁）

⑷　しかし、１９７０年代のオイル・ショックを契機に、先進諸国の資源調達の交易条件が悪化するようになって、先進諸国の国内製造業（産業資本）の事業環境は厳しくなる一方で、いちはやくアメリカは、金融に活路を見出すようになりました（本書ではＩＴ関係の企業についてでは、とりあえず次の⑸のように位置づけ、金融資本に焦点をあてて論述することにします）。

そして世界の政治と経済の潮流は、１９８０年代に入ると金融資本主義化*したアメリカが主導するグローバリゼーションの流れになって、新自由主義思想に基づく市場原理主義による世界各国の自由化、規制緩和が押し進められ、今日に至っています。

＊本書では、金融資本主義化の意味を、次のように理解します。すなわち先進資本主義諸国の実体

経済が、1970年代から低成長の時代に突入しはじめたことから、世界の資本主義経済における力の重心が、商業資本及び産業資本の実需ベースの実体経済の担い手から、貨幣（マネー）そのものを取引対象とする金融商品取引や投機取引等をする金融資本の担い手の方に移ってきたことに着目し、本書では、おおまかに1980年代ころ以降の時代は、金融資本主義の時代として理解しています。

とはいえ、グローバリゼーションの時代の規制緩和は、金融資本の利益のためだけではないことにも注意しなければなりません。産業資本に分類される製造業でも、例えば農薬等の巨大化学企業や、遺伝子組み換えやゲノム編集の作物等のバイオ企業は、規制緩和をいいことに、自らの利益のためには、人間の生命・健康の安全を侵す領域にまで踏み込む活動をしていることも見過ごすわけにはいきません。*

＊堤未果『日本が売られる』2018　幻冬舎新書　41〜99頁

(5)　今や、GAFA、すなわちグーグル・アップル・フェイスブック・アマゾン等の金融資本でないIT大企業が活躍しているのは周知のとおりです。また、モノの製造販売や通信・物流・娯楽等の生活上必要な実体的価値のあるサービスを提供する企業でも、グローバル化した多国籍企業は、世界の資本主義経済市場での影響力は大きいものがあります。しかしその経済活動の態様は、実体的価値のあるモノ（情報を含む）やサービスを供給しその対価として貨幣（マネー）を得ることにあり、そういう意味では、実需ベースの実体経済（世界）の市場競争者であることに変わりはないのではないかと思います。

(6)　これに対して、金融資本は、元来は、金融、すなわち貨幣（マネー）資金の必要者に資金を融通して、それ以上の貨幣（マネー）を利子付きで獲得することが基本的な経済活動の態様でした。しかし今の金融資本の担い手の経済活動の特色は、ハゲタカファンドに代表されるような強欲なパフォーマンスにより、さまざまな手法を使って相手企業、その利害関係者であるステークホルダー（従業員・取引先・消費者・地域社会など）、自然環境などの他者の事情を顧慮することなく、自己中心的に、他者からマネーをいかに効率よく獲得するか、を考えて活動しているところにあります。

すなわち、市場原理主義にもとづくグローバリゼーションの流れのなかで規制緩和と自由化の構造改革がなされる状況下、例えば、日本企業を買収（M&A）し、採算がわるい（と評価される）部門を切り捨て人員削減し、隠れていた含み益を時価会計制度によりあぶりだしては吐き出させ、さらに経営改革の名の下に組織再編行為等により（短期的に）P／Lなど財務状況を改善させたように取り繕って、買収した企業の株式を、買収時よりも高くして売り抜け、あるいは、株式支配を通じて企業財産と収益をさまざまなかたちで収奪しています。

今や、産業資本主義下では利潤を生みだす主体であった企業そのものをも金融資本主義下では、客体化して「商品」扱いし、所有する間は、経営陣に高配当や高株価の達成を強い、頃あいを見計らって当該企業を売却（＝株式売却）して転売差益を利潤として得る。これはモラルとは無縁の市場原理主義者による、これまでにない利潤獲得の態様であるといえます。*

（＊さらには、「社会的共通資本」とされる対象をも「商品」扱いして、そこから利潤を獲得しようとしている動きについて、前掲、堤未果『日本が売られる』16～33頁、１６５～１７３頁、１８５～２２５頁）

４　世界の資本主義経済の推移（１９７０年代以降）

⑴　資源価格の高騰／１９７３年以降の地殻変動

先進国が儲かる交易条件：先進国が資源を安く手に入れることができ、効率的に生産した工業製品を高い値段で輸出できたときは、先進国は儲かりました。*
逆に、資源価格が高くなり、先進国が高い値段で資源を手に入れた場合、製品に価格転嫁できなければ、先進国の儲けは薄くなります。

＊16世紀から１９７３年のオイル・ショック前後までは、先進国は有利な交易条件で市場を拡大することができ、名目ＧＤＰを増加できました。しかし、オイル・ショックを契機に、新興国、資源国の交易条件は急速に改善、反対に先進国の交易条件は悪化しました。

⑵　実物経済から金融経済へ

１９７３年のオイル・ショックを契機として、先進諸国では交易条件が決定的に悪化したことで、実物経済のレベルでモノをつくり売るのでは十分な利潤を得ることができなくなりました。そして日本の高度経済成長も、このころに終わりました。

そこで先進諸国は、金融に儲け口を求めていきます。つまり株式等の金融資産の売買回転率を高めることによって得られる手数料利益や（バブルにより極大化する）不動産等の売却益（キャピタル・ゲイン）は、交易条件の悪化の影響を受けないからです。

こうして、先進諸国にとって交易条件が悪化しはじめる1970年代以降、アメリカでは経済の金融化がはじまります。

⑶ 狂っていたバブル期

1985年のプラザ合意による円高不況によりとられた低金利政策などで増えたカネは、不動産・株式への投機を加速して、バブルになりました。当時、僕の記憶では、東京が国際金融都市になるには、海外から進出してくる金融機関のオフィス需要を充たすためビルの建設用地を確保する必要があるという風説が流れ、都心部から地上げがはじまりました。カネ余りの銀行が、どんどん土地買収資金を貸し出して不動産取引が過熱し、地価が急騰。銀行から借金してでも土地を買い、値上がりした土地を転売すれば儲かるという目算で投機化しましたが、バブルがはじけてみると、ババ抜きのババを掴んだ者が大損しました。

国際金融都市の代表格のNYのウォール街は、高層ビル街であるが、敷地の面積は歩いて回れるほど意外に小さいのです。当時の東京の山手線内の都市空間は、平均して2階程度しか使われていませんでしたから、高さ制限等の建築規制が変われば、未利用のビル建設可能な空間は十分過ぎるほど有りました。地価が高騰し、東京の地価総額でアメリカを買える等と言われましたが、狂気の沙汰です。金融当局が土地融資の総量規制をすると、バブルが崩壊して、地価は約10分の1に急落しました。

⑷ 日本の景気がよくなっても個人の所得が増えない理由

リーマン・ショックの前、日本では２００２年から２００７年の６年間にわたり「いざなぎ景気」を超える長期の景気拡大がありましたが、国民の所得は増えませんでした。それは交易条件が悪化したことで原材料費が高くなったため、売上げが伸びても人件費に回せなくなったからです。売上高から変動費と固定費を引いたものが利益です。原材料費は変動費で、人件費は固定費です。日本では１９９５年から２００８年にかけて大企業製造業の売上高が43兆円増えましたが、変動費は50兆円も増えました。変動費が増えた分、固定費の人件費が削られました。こうして１９９０年代の半ば以降、人件費を削減するため、派遣社員や契約社員などの非正規労働者が急増（雇用環境の悪化）し、それは今日まで続いているのです（本項の⑴⑵⑷については、水野和夫・萱野稔人『超マクロ展望／世界経済の真実』集英社新書）。

(5) リーマン・ショック以後

２００８年9月のリーマン・ショック以降、アメリカ、ＥＵ、日本など先進諸国は、未曾有の経済的、政治的混乱が生じはじめ（日本は日銀の異常な量的緩和をはじめとするアベノミクスにより、株価が高くなり、一時的に好況のように見えますが、*他方で、イギリスはＥＵ離脱を決め、またアメリカは、それまでグローバリゼーションと共にあった自由貿易主義に反し自国第一主義に転じ、また戻ろうとする等）、出口が見えないまま迷走を深めています。

＊榊原英資・水野和夫『資本主義の終焉、その先の世界』詩想社新書　90～92頁参照

■素朴な疑問

日本の労働者の生産性は、他の先進諸国と比べて、低いと言われるようになりました。生産性が低いとはどういうことでしょうか。もっと効率的に働いて、もっと稼げということのようです。でも、それで幸せになれるのでしょうか。そうではないでしょう。

新幹線ができる前は、東京から関西に仕事で出張するときは、日帰りではありませんでした。ところが今は新幹線に乗り、日帰りは普通のことです。生産性はまちがいなく上が

りました。また１９８０（昭和55）年頃はワープロが未だ無く、和文タイプが使われていました。その頃は弁護士会館内に和文タイプ屋さんが数軒あって、裁判所に提出する書面をそこでタイプしてもらうのは普通のことでした。文書の手書き原稿を起こしてから正式な清書文書の作成と提出までの時間は、おおまかに言って約一週間くらいでした。約40年前は、そのくらい今とちがい、ゆっくりとした時間の感覚で働いていました。しかし今はパソコンやファクシミリ等のＩＴ事務機を使って直ぐに文書を作成し裁判所等に送信できます。約40年前と比較して生産性は、ざっくり言って5倍以上は上がりましたが、個人所得は生産性向上に比例して上がらず、せいぜい2倍程度です。約40年前に比べて、時間に追われてゆとりが少なくなりストレスが増したというのが、生産性向上と引き換えのマイナスの実感です。生活実感は、約40年前の方が今より時間のゆとりがあった分だけ、むしろ良かったと思います。今のほうが昔より心身ともにゆとりが失われ、幸せ感は向上どころかむしろ下がっています。働いている多くのひとの実感も、おそらくほとんど同じだろうと思います。

これまで労働生産性を上げて何倍も大きく増やしてきた社会の富の大半が、誰に吸収されたのか、それは経済的な格差の二極化に表れていることから明らかでしょう。こういうことをいつまで続けるのでしょうか。素朴な疑問ですが、考えさせられます。

5　資本主義を支えている「常識」について

フランス現代思想の「構造主義」がもたらした見方によれば、私たちは、つねに或るイデオロギー（人間の行動を左右する根本的なものの考え方の体系：『岩波国語辞典』）が「常識」として支配している「偏見の時代」を生きている、といわれます。* そして私たちは、つねに或る時代、或る地域、或る社会集団に属しており、その条件が私たちのものの見方、感じ方、考え方を基本的なところで決定しています。そしてそれが「常識」となり、その常識に囚われているということを、私たちは、普段、たぶん意識することはありません。

＊内田樹『寝ながら学べる構造主義』文春新書　19〜25頁

物事が（あらゆる方面でも）順調に行っているときは、別にそれでもいいのではないかと思いますが、現代のように問題が多く発生しているときには、そうはいかないでしょう。（アフターコロナの時代には、資本主義の常識は、喫緊に見直しをせまられるでしょう）

どこに問題の原因があるのか、いままで、私たちにとって「自明のもの」であり「常識」として疑うことなく受容されてきた（バイアスのかかった）思考方法や感受性のなかに、問題の発端になる原因があるかもしれません。もしそうであるならば、そこを解決できれば、現代の多くの問題をよりよく解決できる可能性が生まれてきます。

(1) すべての問題は、人間の「心のはたらき」がひきおこしている

現代のさまざまな問題は、人間の意志で起こされた行動によりひきおこされています。人間の意志は、人間の思考性や感受性、すなわち心のはたらきから、生まれてきます。ですから人間の心が（いわば健全なものに）変われば、人間の行動も変わってきますし、問題をひきおこしていた行動が変われば、最終的には、問題は、解消ないし解決していくことになります。

(2)「常識」としての資本主義

人間の意志（心のはたらき）を左右するものに「常識」があります。いまの時代に、私たちにとって「自明のもの」として疑うことがない、一番大きな「常識」は、何か。

本書で触れてきたのは、現代の諸問題のうち、主に経済的な分野における問題です。政治経済の分野において、資本主義経済システムを採用している現代の社会の「常識」は、あらためていうまでもなく、利子を肯定し、経済成長と利潤の拡大を追求して資本の永続的な増殖を目的とする「資本主義」（ブローデル、後述１１９〜１２０頁）そのものです。

(3) 市場原理主義は、「常識」か

また、グローバリゼーションの時代は、「市場原理主義」が、支配階層とその追随者や勝ち組を志向する者の「常識」になり、それが世界の政治と経済に支配的な影響を及ぼしてきました。しかし、それは「資本主義」の矛盾を拡大し、世界中でさまざまな問題をひきおこしています。

「市場原理主義」は、西洋近代の精神である個人主義と自由主義が（いつのころからか）行き過ぎ、自由に自己利益を追求できることに至上の価値を認める新自由主義から派生したものです。そして新自由主義者がいう自己利益とは（前述52頁のミルトン・フリードマンが言うように）あからさまにおカネを儲けることですから、市場原理主義者は、強欲なまでのマネー至上主義者であると言うことができます。

(4) 「常識」としての「資本主義」の限界

しかし、「市場原理主義」に支配されている金融「資本主義」も、いつまでも続くとは思えません。これまでみてきたように今はすでに歴史の大きな転換の渦中にあること、すなわち「資本主義」が成り立つ条件である経済の拡大・成長が終わりつつあること、*ゼロ成長の定常社会に移行する大きなトレンドの渦中にあるからです。

＊経済の拡大・成長がいつまでも続かない理由は、簡単にいえば、次のとおりです。
①地球環境や資源の有限性からくる限界があること
②商品がすでに飽和状態に達していること（恒常的な供給過剰）
③飽和している商品に対する消費者の購買意欲が低下していること
（少なくとも大量生産・大量消費の時代は終わり、その結果、今や「資本主義」経済は、拡大しないパイの奪い合いの競争になっています）

⑸ 近代資本主義を支えていた生活態度の変化

ア　近代「資本主義」を当初支えていた「常識」とされてきた生活態度は、欧米では、勤勉に働いて貯蓄＝資本形成に励む生活態度（マックス・ヴェーバー『プロテスタンティズムの倫理と資本主義の精神』岩波文庫）ですが、日本では、国や社会が設定した近代化の目標に向けて頑張る生活態度（ガンバリズム）がそうだと思います。

日本は、近代化を急ぐため明治期*に国の政策として富国強兵と殖産興業を推進する中で、苦しくても頑張る生活態度（ガンバリズム）を奨励し、その報奨である立身出世を（男性の）人生の主たる目的として位置づけて学歴社会化してきたのが（戦前までの）日本社会の特色であり、そういう経略を通じて日本的な「資本主義」社会が生成し発展してきたといえるのではないかと思います。

＊近代化を急ぐため、上からの統治的手法による「富国強兵」と「殖産興業」が国是として推進されてきた歴史的な経験が、その経験を記憶する親の世代から（教育を通じて）引き継がれてきた団塊の世代あたりまでは、刻苦勉励や根性論のガンバリズムがいわば「常識」として刷り込まれてきたように思います。

そして、それが（本題から少し脱線しますが）今日問題になってきているパワハラや暴力的指導をひきおこす源にあるのではないか、と思われるのです。今の規準からすると、暴力は、精神的な暴力も含め「いけないこと」なのですが、社会的に上下関係がある現場では、上位者（監督、コーチ、上司など）が設定した将来の目標に向けて、下位者に頑張り（ガンバリズム）を強要することは「常識」として半ば日常的になされていたことから、それと紙一重のパワハラや暴力的指導が「違法性の意識がない」まま行われてきたのではないかと思われるのです。そしてそれは団塊の世代からさらに若い世代にまで（無反省に）引き継がれてきた面があるのではないかと思います。そうであれば、これは自覚的に反省し、社会全体で改めていく必要があります。

イ　高度経済成長期が終わる１９７０年代後半ころからの常識（生活態度）の変化

いまや「資本主義」経済の実質的な成長は、超マクロ的に見れば１９７０年代後半ころには終わり、ゼロ成長の定常社会の時代に移行する大きなトレンドの中にあります。その時代の変化に合わせるかのように、これまで成長を前提とした近代「資本主義」における「常識」とされてきていた刻苦勉励などのガンバリズムの生活態度は、若い世代を中心に、必ずしも「常識」ではなくなってきているようです。

ウ　もっとも、そうだとしても、それはいけないことだとは思いません。

刻苦勉励（ガンバリズム）も、日本の（物質的）近代化を実現するため必要であるという他律的な理由で奨励されてきたのであるならば、日本の（物質的）近代化は、十分にその目的を達したのですから、（旧来のような）刻苦勉励（ガンバリズム）は、もはや無用です。自分の人生において（自分の内発的な目的から生まれたのではない）他律的な競争に勝つための努力は苦役であり、他律的縛りから離脱し自由になろうとするのは、自然のなりゆきです。自分の内発的な目的のために、自分自身の心からの満足のために、頑張る場合とはちがうのですから。

エ　このようにして、１９７０年代から１９８０年代にかけて時代が高度経済成長期から低成長期に変わる頃を境目として、その前後に青春期が分かれる世代間では、思考性や感受性が変わってきており、それにともなって、若者を中心として人生の目的が、物質的な富を求めることから、精神的な心の満足「＝幸福」を求める方向に変わってきているようです。[*] もっとも団塊の世代でも、退職年齢に近づいてくると無我夢中で働いてきたそれまでの自分の人生をふりかえり、自分の残りの人生は、精神的な心の満足を求めるようになるようですが、それもむしろ自然なことだと思います。

＊見田宗介『現代社会はどこに向かうか』２０１８　岩波新書　20〜37頁

オ　ところで近代「資本主義」を支えていた当初の勤勉という「常識」は、「資本主義」が大量生産・大量消費の時代になってくるにつれて幸福と利益を損得で量り、マネーを効率的に稼ぐことを人生の主たる目的とする（そのために勉強して就職する）功利主義が「常識」になり、その功利主義の精神は、ある範囲では、今でも根強いものが残っているように見えます。しかし近未来には、マネー本位の功利主義は、市場原理主義と共に色褪せた思想になっていくのではないかと思います。

II　グローバル資本主義のゆくえ

人間社会は、古代、中世、近代、現代と歴史的に発展してきましたが、資本主義も、時代の変化につれて利潤獲得の構造が変わり、現在はグローバリゼーションの時代になっているのを、駆け足でざっと見てきました。そして今の資本主義がさまざまな問題をかかえていることを見てきましたが、最後に、資本主義の将来を予想するうえでポイントになると思われる点を二つあげておきたいと思います。一つめは経済成長はいつまでも続くのかということです。二つめは、グローバルな「資本主義」とローカルな「市場経済」とを区別する見方です。

1　経済成長時代の終わり（定常社会への移行期）

■資本主義は、資本の無限の増殖を目的とし、利潤を永続的に追求していく経済活動です（岩井克人）。そうすると、経済成長により、社会のパイが全体として拡大していくならばいいですが、そうでないならばゼロサム社会になり、限られたパイの奪い合いになります。ゼロサム社会での厳しい利潤獲得競争の下では、企業が（増大すべき）利潤を確保するため無理を強いられ、様々な不都合な事態を生ぜしめること（例えば、無理なノルマを課す苛酷な労働環境の常態化、人件費の削減、その他のコストカット、不正会計、商品偽装などのごまかしの増加）になります。そうなると社会はストレスの多い不安な日々がつづく社会になり、望ましいことではありません。

アベノミクスにせよ世界の資本主義諸国の指導層の考えには、経済成長がいつまでもつづくことを前提とした発想しかないようです。しかし、ざっくりと超マクロ的に見るならば、*１９７０年代頃から、日本を含む先進諸国は、トレンドとして低成長の時代に突入し、深層底流は、定常化の時代にゆっくり移行しはじめているのです。

＊ＩＴ、ＡＩ、バイオ、など先端事業が成長しても、大きな雇用増や社会の大多数の中間階層の個人所得増は見込めません（トリクルダウンが無いことは既に経験済みです）。

■定常化への移行を論じている本から、次に二つほど要約して引用してみましょう。

ア　水野和夫『資本主義の終焉と歴史の危機』（集英社新書）によると、資本主義が経てきた歴史的なプロセスを検証すれば、経済成長が止まる時期（定常期）が目前に迫っていることが明らかです。現在が、中世から近代への転換期に匹敵するような大転換期にあることは明らかで、それを端的に教えてくれるものが利子率の異様な低下です。

利子率の低下が、なぜ重大事件かと言えば、金利は資本利潤率とほぼ同じと言えるからです。資本を投下し、利潤を得て資本を自己増殖させることが資本主義の基本的な性質ですが、利子率の異常に低いことから分かるのは、利潤率が極端に低くなっているということです。それはすでに資本主義が、資本主義として機能していない、資本主義の死の兆候のあらわれです。

図1のように昨今の日米英の10年国債利回りは、２%を下回り（日本は２０１４年１月末時点で０・６２%）、短期金利では、事実上ゼ

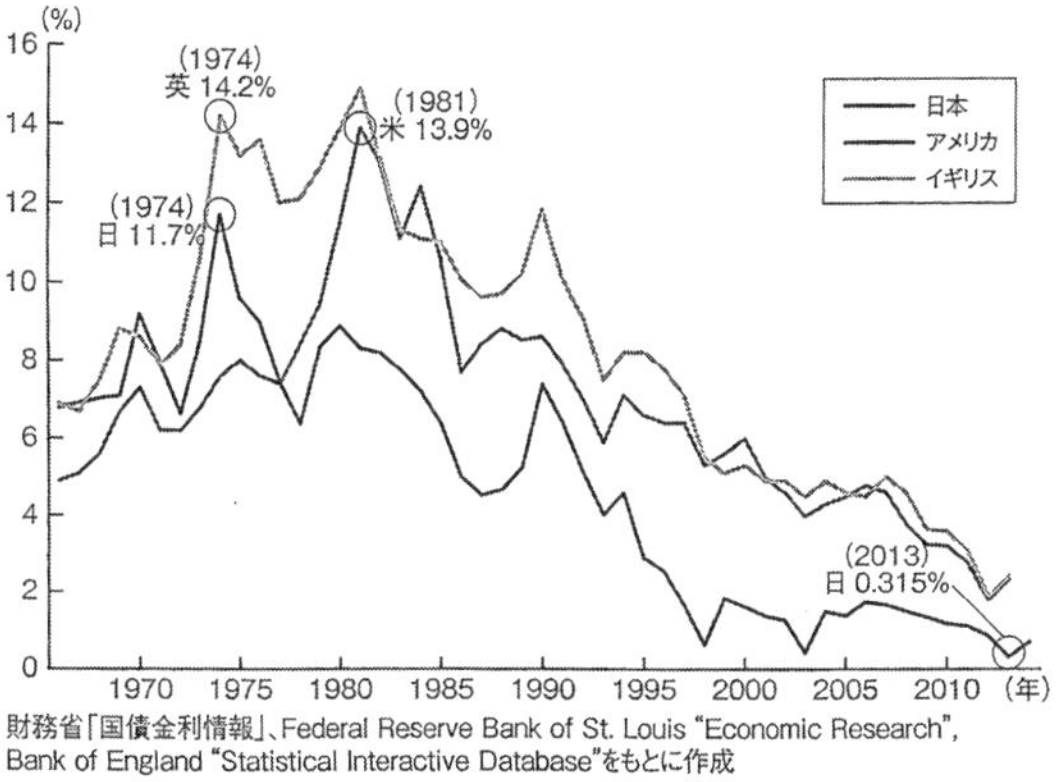

財務省「国債金利情報」、Federal Reserve Bank of St. Louis “Economic Research”, Bank of England “Statistical Interactive Database”をもとに作成

図１　日米英の10年国債の金利の推移

水野和夫『資本主義の終焉と歴史の危機』集英社新書
20頁

ロ金利になっています。

この異常な利子率の低下は、1970年代前半からはじまったといえます。1973年のオイル・ショックを契機として、先進国がエネルギーなどの資源を安く買いたたくことが不可能になりました。1970年代半ば以降の資本利潤率の低下は当然の結果であるといえます（13〜21頁）。

利子率ないし利潤率が2%を下回れば、資本側が得るものは、実質、ほぼゼロです。それはマネーがだぶついていても利潤を生みだせるような投資先がもう無いことを意味します。そして、そうした超低金利が10年を超えてつづくと、既存の資本主義経済とそれに乗っかっている社会システムは、維持することが難しくなってきます。*

＊2017年7月2日の『日本経済新聞』朝刊によると世界の上場企業が保有する資金は、膨張して1350兆円になるが、有望な投資先が無いのが実情という。日本では1997年以降ずっと超低金利が続いているのも、新たな投資の資金需要が無くなっている証拠です。

イ　見田宗介『現代社会はどこに向かうか』（岩波新書）によると、近代は、古代・中世よりも変化の急速な時代である。この1000年間の**図2**のグラフで世界のエネルギー消費量の変化をみてみると、中世までは、極小量で横這いに推移していたのが、近代になると、エネルギー消費量はほとんど直角に極大量に向かって加速度的にいっきに急上昇のカーブを描いていることからも、それが分かります。

また、**図2**にみるようなエネルギー消費量の加速度的な増大が、永久につづくものでないことは明らかです。１９７０年代にローマ・クラブの『成長の限界』以来すでに多くの推計が示しているとおり、人間はいくつもの環境資源を21世紀前半のうちに使い果たそうとしています。どこかで方向を転換しなければ、こ

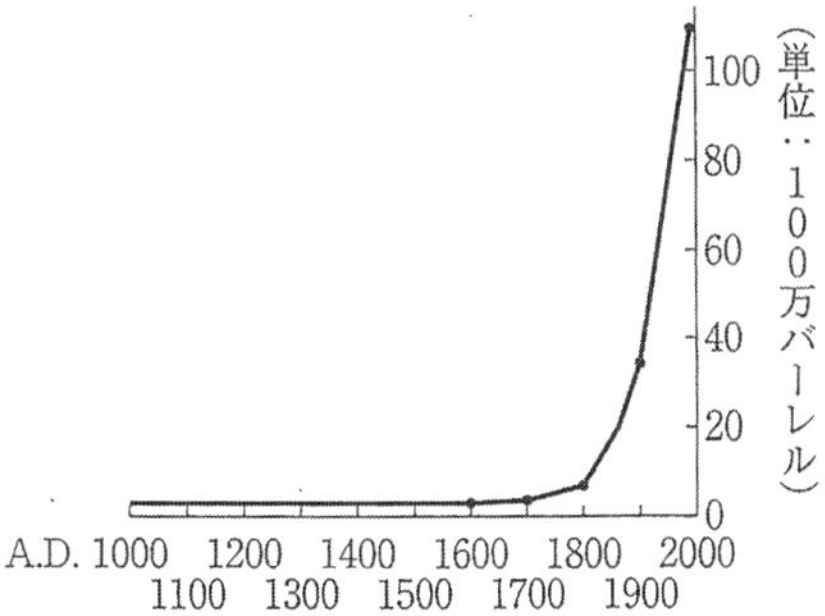

＊ 右目盛りの単位は石油換算して１日あたり（環境庁長官官房総務課編『地球環境キーワード事典』中央法規出版，1990 年などから）

図２　世界のエネルギー消費量の変化

見田宗介『現代社会はどこに向かうか』岩波新書　６頁

のまま進展するかぎり破滅にいたるだけです。

一定の環境条件の中、たとえば孤立した森の空間に、この森の環境条件によく適合した動物種を新しく入れて放つと、初めは少しずつ増殖し（第Ⅰ期）、ある時期、急速な爆発的な増殖期（第Ⅱ期）を迎え、この森の環境容量の限界に近づくと、増殖を減速し、やがて停止して安定平衡期（第Ⅲ期）に入る、という。

生物学者がロジスティック曲線とよぶS字型の曲線（図３の実線）は、生き延びることに成功した生物種であり、そうでないある種の生物種は、図３の

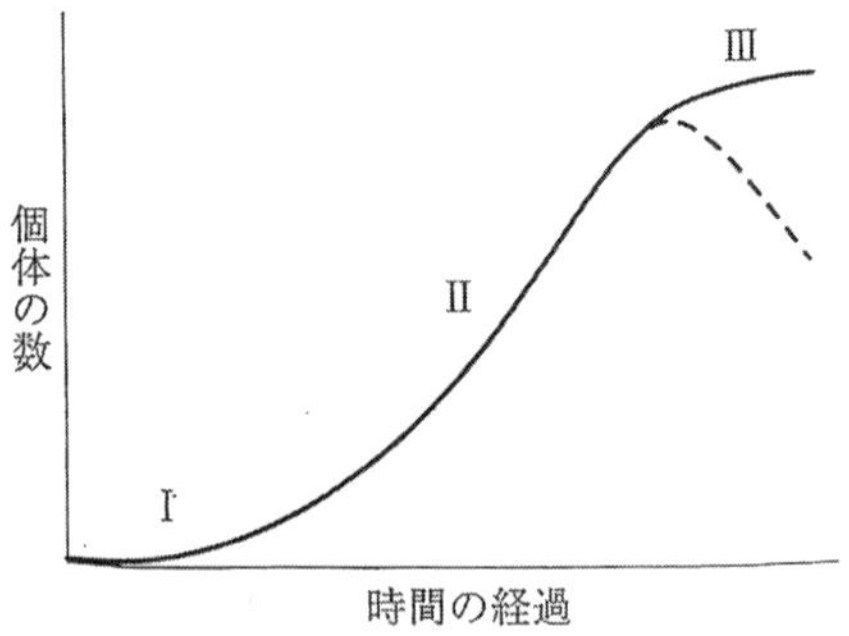

図３　ロジスティック曲線

見田宗介『現代社会はどこに向かうか』８頁

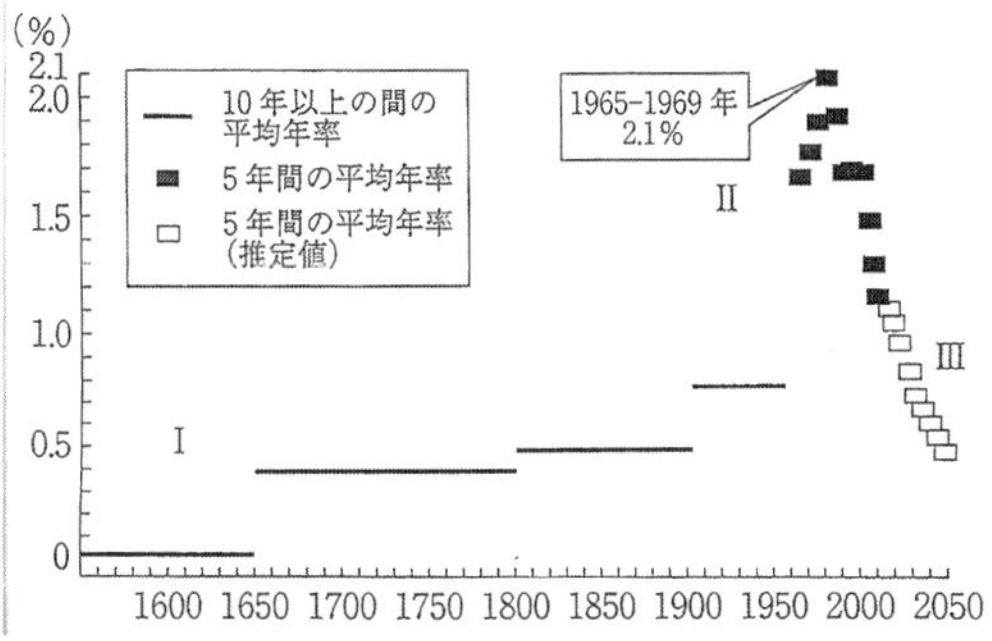

〈U. S. Census Bureau, *International Data Base* (Data updated 4-26-2005) から作成〉

図４　世界人口の増加年率

見田宗介『現代社会はどこに向かうか』９頁

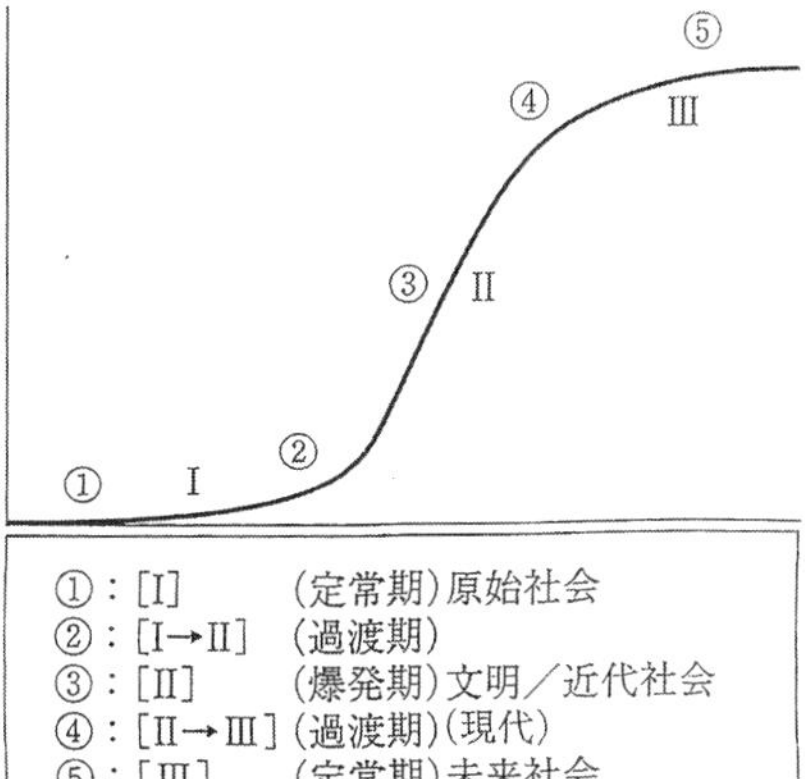

図５　人間の歴史の３つの局面

見田宗介『現代社会はどこに向かうか』10頁

点線のように、繁栄の頂点の後、滅亡にいたる。再生不可能な環境資源を過剰に消費してしまうと、その生物種は滅亡あるいは衰亡する。地球という有限な環境下の人間という生物種もまた、このロジスティック曲線を免れることはできない、という。

世界全体の人口増加率を検証してみると、1970年を尖鋭な折り返し点として、それ以後は急速にかつ一貫して増殖率が低下しています（図4）。つまり人類は、既にロジスティック曲線の第Ⅱ期から第Ⅲ期への変曲点を通過しつつあるのです。そうみると近代という人類の爆発期は、S字型の曲線の第Ⅱ期の大増殖期であったことが分かります。そして今の時代は、この近代（第Ⅱ期）から未来の安定平衡期（第Ⅲ期）に至る変曲ゾーンにいる、と見ることができます（図5）。

■そうであるにもかかわらず、現在、世界の支配層の意識は、大筋において依然として（従来からの）資本主義経済システムを前提とし、経済成長をなお追求しつづける慣性の力が根強いようです。日本でも、（善し悪しは別として）団塊の世代などを中心とした旧世代及び勝ち組志向の若い世代は、経済成長を追求する拡大路線を「常識」としており、それがまだ本流（メイン・ストリーム）であるように、見えます。

■そういうなかで、世界では、まだ小さな支流（サブ・ストリーム）ではありますが、安定平衡期に軟着陸しようとする力が、ヨーロッパの一部地域*で先行しています。

＊広井良典『ポスト資本主義』（岩波新書）は、地域においてヒト・モノ・カネが循環し、そこに雇用やコミュニティ的なつながりも生まれるような「コミュニティ経済」が比較的うまく機能しているのは、ドイツやデンマーク、その他ヨーロッパの国々に見られるといいます（１９０～１９８頁）。

また、１９８６年にイタリアからはじまったスローフード運動は、メイン・ストリームに抗する形ではじまって世界に広がり、スローライフ*運動にまで発展しています。

＊筑紫哲也『スローライフ――緩急自在のすすめ』岩波新書　２００６

或る有機農家の農園を見学して

夏の或る日、有機農家の農園を見学しました。野菜の葉の上を、小さなテントウムシが動いていています。よく見ると茎には害虫のアブラムシ。テントウムシはアブラムシを食べる益虫だが、農薬を使っていると害虫も益虫もいない。少し葉が虫に食われていても、無農薬野菜ならば、むしろ安心です。肥料も枯葉や野菜屑などから地中の微生物やミミズなどが時間をかけて作り出す堆肥を使うのが基本。自然の恵みを最大限活用する有機農法は、手間も時間もかかり、営利的な効率を最優先する、今の経済社会の支配的な流れとは、同調できそうにありません。

１９８０年代頃から、世界はグローバリゼーションの流れが本格化しましたが、その流れによってアメリカのライフスタイル（マクドナルドに代表されるファーストフード）が勢いを強め、伝統的な食文化が崩れていくことを危惧し、１９８６年にイタリアから（ファーストフードに対して）その土地の伝統的な食文化を守るスローフード運動が始まりました。その後、スローフード運動は、地球と人々を正しく扱うという理念に基づき、ファーストフードやファーストライフの流れに抗して、有機農業や地元の小規模事業を支えること等も含めスローライフ志向の様々な形の運動が、さらに世界に拡がっています。

グローバリゼーションやファーストライフの根底にある営利至上主義とは一線を画し、悠々とした自然の恵みから産まれる有機農家の有機野菜は、美味しいだけでなく、私たちに安全と安心をもたらしてくれます。

さらに、アメリカからは、２０００年頃から、ロハス（ＬＯＨＡＳ／lifestyles of health and sustainability）、すなわち、健康と地球環境保護を優先して、持続可能なライフスタイルをめざす運動が、一部とはいえ、広がってきています。

やがてこれらの支流（サブ・ストリーム）が合流していけば、地球上に大きな川となって広がり、新しい未来の、有力なライフ・ストリームになることでしょう。

■日本は今の「常識」からもう少し自由になり、メイン・ストリームの動向ばかりに目を向けて従うのではなく、自主的判断で、自分たちが幸せに暮らし生き延びられる社会、そして安定平衡期に軟着陸する社会*をめざしてみてはどうでしょうか。

＊私見（後述１４９頁）では、それはローカルな「市場経済」をベースとした自立的な地域共同体が基本になると思いますが、広井前掲書１９４〜１９６頁は、地域での「コミュニティ経済」が成り立つ社会に着目し、「コミュニティ経済」における地域内循環を構成する要素の例として、以下の(a)〜(e)を挙げています。（）内の記述は、本書で付記。

(a)　福祉商店街ないしコミュニティ商店街
(b)　自然エネルギー・環境関連（例えば、藻谷浩介『里山資本主義』〈角川ｏｎｅテーマ21新書〉で紹介されている岡山県真庭市の木質バイオマス発電や広島県庄原市のエコストーブの里山暮らし等）
(c)　農業関連（例えば、篠原匡『腹八分の資本主義』〈新潮新書〉で紹介されている長野県伊那市の寒天のトップ企業など）
(d)　地場産業ないし伝統工芸関連（既に日本各地で長年存続し発展するトレンドにある）
(e)　福祉ないしケア関連（例えば、広井前掲書１９６頁で紹介されている千葉県香取市の「恋する豚研究所」は、養豚場で豚を飼育するとともに、その加工や流通、販売なども一括して行い、かつ加工などの作業を知的障害者が行うという福祉的な機能ももった事業をしています。また篠原前掲書89頁で紹介されているスウェーデンの従業員の９割が障害者の企業サムハルなど）

それ以外にも多数の参考事例があります（坂本光司『21世紀をつくる人を幸せにする会社』ディスカヴァートゥエンティワン、同『小さくてもいちばんの会社』講談社）。

また、メイン・ストリームのあまりにも巨大になり過ぎた金融機関の対極にあるのが、山梨県甲府市に多い講（頼母子講、無尽講）という組織内でなされる小規模金融です。

いずれにしても、メイン・システムの資本主義経済システムの本体が、自ら進んでそういう方向に体質改善できるかどうか不明です*。そうであればサブ・システムとして地方から改革の試みを先ずはじめてみたらどうだろうか、と思うのです。

*今般のコロナ禍は、サプライチェーン等、効率化したグローバル資本主義経済システムの脆弱性を明らかにしただけでなく、企業の経済活動そのものを突然に停止させる打撃を与え、大企業といえども倒産の危機に直面しはじめています。倒産や失業が増えれば、社会の総需要の中心である消費は大幅に減少して、供給過剰、不況を免れません。それらを回避するために大幅な財政出動がなされると思いますが、先進諸国の財務状況はどこも余裕がなく、今の経済の病気を治す「解」も不分明です。これまで、あたかも帝王のごとく傍若無人にふるまっていたグローバルな金融権力等が拠って立っていた基盤（グローバル資本主義経済システム）は、いつまで延命できるのか怪しい雲行きになってきました。アフターコロナの時代への構想は、喫緊の現実的な課題となってきたようです。

2 「資本主義」と「市場経済」（フェルナン・ブローデルの見方）

フランスの「アナール派」を代表する歴史学者で日本でもよく知られているフェルナン・ブローデルは、グローバル「資本主義」の市場経済と、地域社会に古くから存在して現在までつづいているローカルな「市場経済」とを明確に区別して、その違いを理解することが重要であるといいます（ブローデル『歴史入門』中公文庫　55〜92頁　２００９）。

(1)「資本主義」と「市場経済」の区別

「資本主義」と「市場経済」は、いま実質的にはほぼ同じ意味で使われることが多いですが、そもそも市場経済とは何かということを考えてみると、市場というものの一つの原型は、魚市場*での「せり」のような営みに見られます。そこでは公正で透明性の高い競争がみられます。ブローデルは「こうした、予想外のことの起こらぬ『透明』な交換、各自があらかじめ一部始終を知っていて、常にほどほどのものである利益が大体推測できるような交換については、小さな町の市が格好の例を提供してくれる」（ブローデル前掲書69頁）と述べています。

＊なお、前掲堤未果『日本が売られる』１２７〜１３５頁（築地が売られる）は、ブローデルのいう優れた公設の「市場経済」が、ＴＰＰ関連の規制改革の名の下に「資本主義」の力に飲み込まれていく状況を適示する。

「市場経済」のこうした原義に立ち返りながら、ブローデルは、それは「資本主義」とは異質なものであると論じ、それを広井良典は次のように要約しています。*

①「市場経済」は、明瞭で透明でさえある現実であり、市場の領域は、ブローデルが時には「ミクロ資本主義」とよぶことがあるが、「わずかな利潤」の世界であった。
②「市場は一つの解放・一つの出口・別な世界の入り口」であるのに対して、「反―市場」の地帯では「巨大な略奪者が徘徊し、弱肉強食の論理がまかりとおっていた」。
③「資本主義」とは、集中の地帯、相対的に高い独占化、つまりは「反―市場」の地帯のことである。
④「市場経済」は、先の読める領域・真の需要と供給によって自動的に価格を調節・競争の規制を含む・普通の人々の（生活）領域、であるのに対して、
⑤「資本主義」は、（先の読めない）投機の領域・力と策略によって価格を強制・規制と競争の両者の排除を含む・覇権国によって保障され、その中に体現する領域、である。

（＊広井良典『ポスト資本主義』２０１５　岩波新書　26頁）

(2) 経済のあり方を見直す

ブローデルの「資本主義」と「市場経済」を区別する見方は、今の私たちの社会が、

「資本主義」経済システムを当然の前提とし、それが今の社会の「常識」となっているとき、その「常識」*を疑いリセットしようとするときに、あらためて対照されるべきものとして意義があると思います。

*資本主義経済とよく対照されてきたものは共産主義経済ですが、ここではブローデルの定義にいう「資本主義」が、巨大な略奪者が徘徊し、弱肉強食の論理がまかりとおっている、まさに今のグローバリゼーションの時代の「資本主義」そのものですから、それと対照的なローカルな「市場経済」の質実さに、あらためて着目したいと思います。

すなわち、グローバル「資本主義」が、様々な矛盾をかかえて混迷を深めている一方で、成長・拡大を追求しつづけるグローバル「資本主義」路線の延長線上には有効な「解」を見いだせていません。そういう現状に追い打ちをかけるようにコロナ禍が襲いかかり、グローバル資本主義経済システムに（おそらく最後の）打撃を与えています。

今のグローバリゼーションの時代の「マネー資本主義」、特にマネーゲームは、いずれ混乱のうちに終焉をむかえることでしょう。マネー獲得に狂奔していたプレーヤー（市場原理主義者）にこれまで振り回されてきた多くの人々は、マネーゲームの混乱に巻き込まれることなく、落ち着いて、あらためてアフターコロナの時代の、自分たちの新たな生き方を考えてみる必要があるのではないかと思います。

そのときには、様々な可能性をもった多様な選択肢があっていいのですが、人間社会の経済のそもそもの原点であるブローデルのいうローカルな「市場経済」に、僕はこれからの時代における一つの「解」のヒントがあるのではないだろうかと思うのです。

３　グローバル資本主義の再考

平川克美『グローバリズムという病』（東洋経済新報社　２０１４）は、グローバリゼーションの時代の資本主義経済のありように疑問を呈し、要旨、次のように言っています。

「結局のところ、グローバリズムの進展によって利益を得るのは、多国籍企業の関係者、あるいは超国家的な取引によってビジネスを行っている金融資本家ということになる。彼らは、どこまでも経済合理性を追求する。ただし、この場合の経済合理性とは、短い時間スパンの中で、損得勘定第一を目的とした上での経済合理性ということに過ぎない。これに対し、普通の市井の生活者は、長期的に見れば（真の意味で）合理的と思われる行動をしている場合が多い。たとえば、繁盛している商店街の人々の行動様式を見てみると、彼らひとりひとりは、競争優位の市場を生き抜いて、店を拡張し、同業他社を駆逐するような行動を取ろうとはしていないように見える。同じ商店街の中に、複数の同業商店があったとしても、資本の度合いによってヒエラルキーをつくったりはしない。むしろ助け合うことで地域の振興に寄与しようとする。つまり共存共栄のための地域的棲み分けをしているように見える。これは大田区にたくさんの零細企業が生まれたときに、一方に下請け、孫請け、ひ孫請けのシステムがあっても、もう一方に横受けという零細企業同士の互助的分業があったのに似ている。どちらの場合も、自分の事業が突出するよりは、自分が商売をさせてもらっている『場』や『縁』を盛り立て、大切にすることが優先される。だから、個々の店舗において大きな成長はないが、定常的な『場』の力が働いて、それぞれの店舗が長生きするのを助けているのである。

人口減少時代を迎えた日本経済にとっては、活発な商店街の定常経済には、学ぶべき多くのものがある。商店街を律しているのは、それぞれの商店主が身に付けてきた強固な生活者としての思想である。そして、このおそらくは江戸期から続いてきた生活者の思想は、経済成長路線のなかで育まれた価値観、その延長のグローバル志向、経済成長至上主義の思想（さらに言い換えれば、本書で繰り返し触れてきた『市場原理主義』の思想）に対抗

しうる有力な思想的拠点になるだろう。」(同書190〜206頁)

僕は、平川克美さんの言っていることに、全面的に同意したいと思います。

次の第5章では、未来に一歩進めて、皆が、心ゆたかに幸せに暮らせるような社会(共同体)を構想する試みのひとつとして、コロナ後の未来の入口をラフスケッチ(素描)してみようと思います。そして、第6章で、心ゆたかな社会へ前進するために、将来への課題を最後に考えてみることにします。

第5章　心ゆたかな社会をめざして

Ⅰ　人間の存在の原点

1　すべてのひとは、人格的価値において、等しい

(1) 総ての価値判断の基底にあるべき原基準

神さまは、私たち一人ひとりの人間*をそれぞれに価値ある存在として、そこに上下があ

るものとして創られていないはずです。福沢諭吉翁は、いみじくも「天は人の上に人をつくらず。人の下に人をつくらず」といわれましたが、そのとおりだと思います。ひとの人格的価値が等しい原点は、ここにあります。そして「すべてのひとは、人格的価値において等しい」というのは、人間や社会のありかたを考えるときに、総ての価値判断の基底にあるべき、それこそ原基準ではないかと思います。

＊人間は、多様な個性をもった存在であり、多様な存在そのままで尊重されるべきです。

(2) いじめや暴力は、いけない（道徳教育の必要）

子どもたちの世界で、いじめによる自殺という痛ましい事態が、各地で起きています。加害者のいじめにより、心身を傷つけられた被害者は生きているのが耐え難く死にたいと思うくらいまで追い詰められます。その辛さは察するに余りありますが、加害者側に被害者の立場に自分を（仮に）置いてみる想像力があれば、いじめは起きないでしょう。また、もし自分のかわいい妹や弟がいじめの対象になった場合はどうかという想像力があれば、いじめは実行されないはずです。

「すべてのひとは、人格的価値において、等しい」ということから、全体のひとの中のだれか一人（または少数のひと）が、いじめや暴力などで不当な目に遭うようなことはあってはならない、ということが道徳的な結論になります。これらの理非曲直をわかりやすい言葉で、子どもたちの心に滲透するような、早期の道徳教育が必要でしょう。

■自分を相手の立場に置いてみる想像力を

「すべてのひとは、人格的価値において等しい」としても、現実の事実としては、すべての人が全く平等であるというわけではありません。健常者がいれば心身の障害者もいる。人間の能力にも、様々な能力がありますが、さまざまな能力のそれぞれにおいて優劣がある。経済的に恵まれている者もいれば恵まれていない者もいる。社会的な立場において上位な者がいれば、下位の者もいる。男は腕力が強いが、女は弱い、等々です。

しかし、「すべてのひとは、人格的価値において、等しい」という人間の存在の原点にたちかえるならば、大人、子供をとわず、たんに（実際は）力が（立場上）強いというだけで弱い者に対し、（気に入らないから）いじめや暴力をはたらいてもよいということにはなりません。ひとは、お互いに他のひとの人格的価値を尊重（リスペクト）すべきであって、他のひとの人格的価値を不当に傷つけてはいけないのです。強い者が弱い者いじめをすることは、（武士道精神によれば）たんに卑怯*なだけです。

＊藤原正彦『国家の品格』新潮新書　２００５

社会のあらゆる人間関係において、「すべてのひとは、人格的価値において、等しい」という人間の存在の原点を、日常的に想い起こし、また自分を相手の立場に置いてみる想像力があれば、いじめや暴力だけでなく、弱者に対する不当な強要もなくなり、また昨今問題とされるようになった不当なパワハラも、なくなるはずです。

⑶　弱者に対する思いやりから、人間観の深化へ

「すべてのひとは、人格的価値において、等しい」としても、現実の事実としては、すべての人が全く平等であるというわけではありません。例えば、健常者がいれば心身の障害者もいます。近時、障害者に対する社会的な保護の観点から、バリアフリーをはじめとして、さまざまな手当てがなされるようになってきています。

(ア)　法務省人権擁護局の「人権相談」という制度があります。僕は以前、人権擁護委員をしていましたが、「人権相談」の面接相談を担当していたとき、相談者の中にメンタル面での障害者と思われる人がおりました。あきらかに被害妄想と思われる相談内容でしたが、相談者は上品な和服を着た裕福な家庭の主婦と思われるようなご婦人でした。

(イ)　「人権相談」に来られる相談者には、メンタル障害者と思われる人がおります。多くの人権擁護委員は、メンタル医療ないしケアの専門家ではありませんから、そのようなメンタル障害者の面接相談に、どのような姿勢で対応したらよいか分かりません。
人権擁護局が、メンタル医療の専門家を講師に呼び、研修の講演会を開きましたが、講師の先生によると、いわゆる統合失調症（昔は精神分裂病といわれ、遺伝病とされていた）は、脳の中に何らかの理由で傷を負っていること（素因）で起こり、遺伝病ではないこと。脳の中に傷を負ったのは（運がわるかっただけで）その人の責任ではなく、健常者はたまたま（運よく）傷を負わなかっただけであること。脳に傷を負った素因を有している人は、ストレスがかかると発症しやすくなるので、家族や周囲の人はストレスがかからないように気をつけてあげてほしいこと、専門医が処方した適切な薬を服用すれば、普通の日常生活が送れる、ということでした。

(ウ)　被害妄想を発症した相談者への対応方法については、ベテランのカウンセラーは、ただひたすら相談者の話を聴くそうです。それに対し、現代の多くの人は、ふだん合理性・効率性を第一として生活していますから、被害妄想的な訴えに対しては、（この忙しい時に）この人は何を変なことを言っているのだと怒り、あるいは批判し、相談者を見下して話を打ち切り、相談者を排斥しようとしがちです。

(エ)　しかし、脳の中に傷を負ったのは（運がわるかっただけで）その人の責任ではなく、健常者はたまたま（運よく）傷を負わなかっただけだとすると、どうでしょう。自分が健常者であることは、たまたま運がよかったに過ぎないのに対し、目の前の相談者は、たまたま不運にも脳に傷を負い、そのために（被害妄想を発症すると）社会から排斥されて、社会に適応できず、もがき苦しんでいるのです。気の毒だとしかいいようがありません。健常者が恵まれた地位にあるのは明らかです。たいしたことができないにしても、健常者の一人として、できる範囲で障害者の生を支えてあげたいものです。

それから僕は、そのような人の人権相談のときには、相談者を対象として見るのではなく、相談者に寄り添うような姿勢で、話を肯きながら聴き、時には相談内容の解決が難しい現実（裁判官といえども、神さまではなく人間だから、証拠がないと真実を認識できないのです。だから証拠がないと被害の認定をしてもらうことはできないという現実）をやさしく諭し、一緒に「困ったね」という感情をひととき共有する等しながら、約１～２時間、話を聴くようにしました。相談者は、そうすると、そのうち気持ちが収まったのか、気が済んだように帰っていきます。

(オ)　現代の社会システムは、「資本主義」経済システムの基礎の上に乗っかっていることから、どうしても人間観が、経済的な損得計算に立った合理性・効率性を、第一とする姿勢から抜け切れないところがあるように見えます。

しかし、経済も大事ですが、「心のゆたかさ」がより大切ではないでしょうか。グローバル資本主義経済システムに代わり（最初はサブ・システムとして）小さな自立的地域共同体を基本単位とした新しい経済社会システムを作るときには、新しい社会の人間観は、損得計算に立った経済合理性・効率性を第一とする人間観から、個の尊厳と多様性、自由を認める寛容な社会に、また近代化前の日本が有していた美質「やさしさ、謙譲、心のゆとり」（宇沢弘文）を取り戻して、すべての人と自然を大切にする「心のゆたかさ」*を第一とする人間観に、深化（進化）する必要があると思います。

＊神野直彦『経済学は悲しみを分かち合うために』岩波書店　２０１８

2　これからの定常社会における「心」のありかた

(1)　心はコロコロ

僕の父方の亡き祖父は、明治時代に貧しい農家に生まれ、小学校しか出ておらず、建具職人のもとで丁稚奉公をしながら修業し、後に独立して田舎で建具屋になったひとです。その祖父から僕が教わったことですが、あるとき祖父は僕にこう言うのです。「心」は今はココロというが、本当はコロコロだった。「心」はコロコロした「円いもの」だから、本当はコロコロというのだが、コロコロがだんだん訛ってココロになったと言うのです。無学な祖父でしたから、田舎のお寺のお坊さんの説法で聞いた話なんだろうと思うのですが、今から思えば、素朴な話ながら、何かとても大事なことを伝え聞いたように思うのです。

⑵ 新しい「三方よし」の心

近江商人は、「三方よし」が善いと昔からいいます。売り手よし、買い手よし、世間よし、ということですが、世間というのを、これからの時代にあわせて、広くとらえるならば、人間社会のみならず自然環境、さらには、現在のみならず、将来の世代の、社会環境や自然環境*まで含めることが必要ではないでしょうか。そして、この新しい「三方」がそれぞれ「円く」調和するように、行為者である人たちがそれぞれ配慮するならば、そのとき心はコロコロした「円いもの」であり、本来の人間の「心」が体現されたものということができるのではないでしょうか。

＊気候変動（地球温暖化）が深刻な問題になっていることは、スウェーデンのグレタ・トゥーンベリさんが訴えて世界の注目を集めましたが、地球の異常気象による災害は、日本でも、集中豪雨や猛暑、巨大台風などと多くなってきています。
気候変動の問題は、２０１５年９月に世界共通の目標として国連で合意され、近時、国や企業も注目するようになったＳＤＧｓ（Sustainable Development Goals／持続可能な開発目標）の17の目標のうちの一つであるが、その問題の深刻さは一番かも知れません（Ｄ・ウォレス・ウェルズ『地球に住めなくなる日／「気候崩壊」の避けられない真実』ＮＨＫ出版　２０２０）。

さらに気候変動の問題は、資本主義経済システムそのものの根源的な是非を問わざるを得ないことについて、斎藤幸平『人新世の「資本論」』（集英社新書　２０２０）参照。

(3) グローバリゼーションの時代をのりこえる「心」

私たちは、自分ひとりの力だけで生きているわけではありません。社会を形成し多くのひとの様々な本分（衣食住に必要なモノを作り、運び、販売する。医療や教育などを施す。諸々の生活サービスを提供する。社会の安全や秩序を護る。等の職務を分担すること）の協力的な「心」の集積があって、私たちすべてのひとの生活は、健全に成り立つのです。今般のコロナ禍によって、そのことが、あらためてはっきりと明らかになりました。

また、私たち全ての人間は、地球の自然環境の中で生まれ、生かされている存在です。そう考えてくると、新しい「三方よし」の「心」は、今のグローバリゼーションの時代を超克する、これからの時代の指導理念（基本倫理）にふさわしいのではないでしょうか。

（今の時代、グローバリゼーションの流れの中枢に居る市場原理主義者たちは、徹底して自己利益を追求する強欲で尖った人たちです。そのような自分本位の尖った人たちの心は、仮にあったとしても、鋭く尖っており、コロコロとした円いものではないでしょう）

自分本位の人が支配的な社会では、社会の様々な職務分担としてなされる労働は、強欲な支配層が設定した賃金（後述１５０頁＊労働力と賃金の不等価交換）を媒介とすることから、格差がさらに拡大し、社会を不公平かつ不当な、「心の貧しい社会」にするだけです。

Ⅱ　みなが幸せに生きられる「心ゆたかな社会」へ

１　これからの時代の社会の基本精神（モラル、倫理）

近時、セクハラやパワハラ等、何らかの優越的地位にある強者による弱者に対する人間としての尊厳をふみにじる行為が、社会から厳しく批判されるようになってきました。そのような非行は人権侵害行為であり、当然、本来あってはならないことです。全ての人が人間として尊重される社会、全ての人が自尊感情を保ち、気分良く生きることができる社会が理想です。そのためには先ず第一に、お互いに相手の人格をリスペクトすることが、モラルとして広く社会に行き渡っていることが必要であると（改めて）つよく思います。

日本では、目上や社会的地位が上の人に対する尊敬や謙譲の姿勢が社会的な礼儀として行き渡っていますが、それを包摂する上位の包括的モラルとして、上下や優劣、強弱にかかわらず、お互いに同じ人間である以上、相手の人格をリスペクトすることが、あらゆる人間関係（上司と部下・指導者と選手や生徒・男女・夫婦・親子・日本人と外国人など）における基本モラル（後述137頁①）となるべきではないでしょうか。

そうしてこれからの時代、社会が穏やかで安全であること、すなわち社会が健全であることが、その社会に生きる人たちが幸せな人生を築いていくうえでの必要不可欠な前提条件です。また（当然のことですが）自然環境は適切に保護されるべきものです。そして社会の安寧と秩序、自然環境をよく保つためには、健全な精神（モラル、倫理）、適正なルール（法と規制）が必要であることは、（疑問の余地がないほど）明らかなことです。（このような、人間と人間、人間と社会、自然との関係を考えるならば、今のグローバリゼーションの流れを作り出した市場原理主義者の徹底した自己利益〈エゴ〉を追求する生き方を後押しする、規制緩和の名の下に改廃された諸制度は、見直し、正されなければなりません）

ポスト・グローバリゼーションのこれからの時代、すべてのひとが人間として尊重され、すべてのひとがそれぞれ幸せに生きられる社会、「心がゆたかな社会」は、次の基本精神を三位一体の生けるモラル（倫理）*として体現しているような社会、だと思うのです。

①あらゆる人間関係において（現実的な上下や優劣、強弱にかかわらず）人間として人格的価値は等しいのですから、お互いに「相手の人格をリスペクトする」精神

②経済的・社会的・自然環境的な関係においては、「三方よし」の精神

③政治的・社会的な関係においては、「Agree to disagree」の積極的精神（後述）

＊岩井克人『資本主義から市民主義へ』（ちくま学芸文庫　２０１４）は、資本主義社会は倫理性を必要とし、倫理を内在させた市民社会を理想という。なお、丸山俊一『岩井克人「欲望の貨幣論」を語る』（東洋経済新報社　２０２０）では、イマヌエル・カントの倫理学に着目しています。またカントについて出口治明『哲学と宗教／全史』（ダイヤモンド社　２０１９）は、簡潔な表現で分かり易く解説しています。

2　「Agree to disagree」の積極的精神

(1)　ひょんなご縁で、僕は、サロン・ド・ヴァンテアン（現ヴァンテアン倶楽部）の水野要さんの知遇を得ることができ、水野さんをはじめとした同倶楽部のメンバーとは

かれこれ約30年のお付き合いになります。ヴァンテアン（フランス語で21の意）倶楽部では、みな自由闊達に議論しますが、そこでの基本は「Agree to disagree」の積極的精神があることです。「Agree to disagree」の精神について、水野要さんは、次のように書いています（『世直しかわら版』第１３９号　巻頭言）。

「親兄弟、夫婦、親友であっても、いくら話し合っても意見が一致しないことはある。そんなとき、頃合いを見て『この問題は、どうしても意見が違うね、だからしばらくお預けだ（agree to disagree）とお互いに意見が違うことに同意して』別の話題にうつっていく、これが大切。そうすれば別の話題は何のわだかまりもなく話し会える。日本人は、えてして意見が異なると、けんか別れの感情で終わり、良き友も失うことも多い。しかしそれでは本気の会話はできない。意見が違っても、時が経てば客観的にどちらが正しかったか明らかになることが多い。もし自分が間違っていたら『ごめん、ごめん、僕が負けだ。今晩一杯おごるよ』とお互いに愉しい一夜を過ごすことだ。反対の場合であっても同様だ。それが真の友人だ。／政治の世界でも、特に外交ではお互いに自国益を優先して主張するのだから、かみ合わないことが多いのは当然だ。それを激することなく意見の違いを確認しつつ、粘り強く主張しつづけ、様々な角度から相手が耳を貸す事を提案し、進展させるには、常に『Agree to disagree』の精神が不可欠であり、それが最終的には相手との相互信頼による解決への道なのだ。」

（agree to disagree の消極的意味は、これ以上の議論はムダだと悟って別れる、という

ものですが、積極的意味は、何でもよく話し合える関係を大事にする知恵である）

Agree to disagree の積極的意味について、寺島実郎さんは、次のように言います。

「自分たちが有している歴史認識とは違うとらえ方が、他の国民・民族にはありうること、世の中にはさまざまなものの見方や考え方があること（そういうことをお互いに知ったうえで、議論が平行線でなかなか合意に至らないようなとき、あなたの考えは）賛成はできないけれども、あなたの誠実に物事を組み立てて考えてみようという姿勢は大いに評価する、という姿勢を（お互いに）もつことが肝要である。外交の世界で、近隣諸国と『未来志向の関係』を築こうと考えるのであれば、自分の言いたいことだけ一方的に言い放つというのでは、いつまで経っても関係すら築かれない。自分たちの主張は主張として臆することなく伝えつつ、相手の論理、論点を虚心になって理解する姿勢が必要である。」（寺島実郎『世界を知る力』ＰＨＰ新書　２０１０）

⑵　聖徳太子の「十七条の憲法」にある「和を以て貴しとなす」というのは、本来は、「意見が異なるのは当たり前だから、よく話し合え」という意味だそうです。「和」の字義は、（穏やか）（温か）（仲良くする）（争わない）等ですが、人と人の関係、社会

の内部関係、社会の対外関係、国と国の関係など、さまざまな関係を良い関係（和の関係）にするには、関係当事者には様々なものの見方や考え方があることから意見が異なるのは当たり前、だからよく話し合え、ということなのでしょう。聖徳太子は、（Agree to disagree の積極的精神も含めて）議論の大切さを説いて、誠実によく話し合うことが大切である、という基本的な価値観を示されていたのだと思います。

(3) 内外の一部の為政者は、正当な理由を説明しないまま、議論の論点を否定したり、曲げたりして、まともな議論を受け付けずに権力者の意志を押し通そうとしますが、論外です。国と国の外交関係であれ、国内の政治関係であれ、あらゆる関係において良い関係（高次の和）を築くことが大事です。そのためには、意見の違いはあっても、議論は誠実に（議論の作法にそって）議論することが必須であり、不誠実は、関係の分断を増すだけの最下策です。

(4) そして、さらに一歩踏み込むならば、議論や話し合いの当事者は、前述（137頁）の①のお互いに「相手の人格をリスペクトする」姿勢を忘れずに、②の「三方よし」の精神から最適解を得ることを目的として、誠実かつ充分に話し合い、もし所定期限内に結論に至らないときにも、③の「Agree to disagree」の積極的精神で、わだかまりなく小休止する。そして議論を再開し、最終的には「三方よし」の観点からの最適解（高次の和）に到達できるようにしたいものです。

3　真の民主主義社会へ

(1) ヴァンテアン倶楽部・読書会（課題本：白井聡『国体論・菊と星条旗』集英社新書）

前述のヴァンテアン倶楽部では、ほぼ毎月1回開かれる例会で、時々、読書会があります。２０１８年5月には某官庁ＯＢが推薦した白井聡『国体論・菊と星条旗』を課題本として読み、皆で活発に議論しました。

白井聡さんは、２０１３年に『永続敗戦論』を出しており、『国体論・菊と星条旗』は、その続編として日本の現在にまでつづく対米従属のありようを批判するものです。その批判は、マクロ的に見れば、ほぼそのとおりかと思うのですが、例えば池田勇人内閣の当時「所得倍増計画」を立案した大蔵官僚エコノミストの下村治さんが１９８２年に出版した『日本は悪くない／悪いのはアメリカだ』（文春文庫版は２００９年刊行）に見られるような例もあります。日本の官僚諸氏の気骨ある「志」の復活を信じたいと思うのです。

(2) 真の民主主義社会とは

白井聡さんは、同著で真の民主主義社会の具体的な内容は語っていませんが、思うに真の民主主義国家とは、国民が名実ともに主権者（＝憲法制定権力者）の自覚をもって自主的・自律的に生きる（＝自治）国家ではないでしょうか。人は自分の人生にとって大事なことは、他者に強制されることなく、自主的・自律的に自己決定して生きることができるのが理想です。そして人が社会（国家、地域社会）の中で生きるとき、社会にとって大事なことは、その社会の住民がAgree to disagreeの積極的精神で自由闊達にコミュニケーションし、自主的・自律的に自己決定（＝住民自治）できることが重要です。そしてそれが民主主義の本来の原型であろうと考えます。そうすると民主主義の理想は、地方自治が中心の、非中央集権型の地域共同体の連合国家（連邦国家）の方が実際上、より実効的に実現されうるものと思われるのです。

(3) 非中央集権型の地方分権的な民主主義社会

全ての人が人間として尊重される社会、全ての人が自尊感情を保ち、気分良く生きることができる社会が理想であるとすると、そのような社会の政治形態は、1億2千万人以上の人口規模の日本においては、中央集権型ではなく、非中央集権型の地方分権的な民主主義社会のほうがよいと思います。なぜなら、中央集権型の国家は、社会の規模が大きくなればなるほど、集中して強大になった権力が、腐敗し易くなるからです。また社会の規模が大きくなればなるほど、国家は、上意下達の垂直統合型ヒエラルキー（ピラミッド型階層の行政官僚機構）により統治されるため、主権者である国民が複雑かつ巨大な統治機構を適切にチェックすることは難しくなります。国民の代表が選挙で国会議員に選ばれますが、間接民主主義による統治者＝被統治者という理念は形骸化を避けられないのが現実です。実際、今の日本は、残念ながら、国会の行政チェック機能が無力化しています。官僚が省益のため有力政治家の私益を忖度する等、政治家も官僚も、自分たち支配層の利益を優先し、国民（主権者）の人間としての尊厳と自由を尊重する政策を二の次にする等、民主主義の理念は、形骸化しつつあるのが現状なのです。

これに対して、非中央集権型の地方分権的な社会は、草の根民主主義に親和的な地域共同体を核として国の構造を組成することが可能です。そうなれば人間の尊厳と自由を尊重する社会としての民主主義社会はより身近なものになります。そして、そのような地域共同体（非中央集権型の地方分権的な社会）の連合国家として国が編成されるとき、すなわち国が、（社会の在り方を地域住民が自主的・自律的に自己決定して生きることができる）

地域共同体の、連合体として組成されるとき、国民（地域住民）は、人間の尊厳と自由を尊重する地域社会と、その連合体（国）に生きる生の在り方に納得し、自らがより良く生きることができる場としての、地域共同体への郷土愛、そしてその連合共同体の国に対する愛国心*を、自然に抱けるようになるのではないかと思うのです。

＊真の愛国心は、偏狭で排他的なナショナリズムと結びつくようなものではなく、世界の総ての人が生きている地球が、人間としての尊厳と自由を尊重する理想の地球共同体になっていくことをめざす、普遍的な理想につながり、両立するものであると思います。

Ⅲ　未来社会の私的構想

1　明日への自省

経済成長は、国民全体の利益だという考えは、現代では（一応）常識とされています。実際、資本主義経済社会では、経済成長がないと国の税収が増えず、社会福祉関係予算や年金等の削減や、増税をせざるをえなくなるという一面はあります。しかしながら、そのような資本主義経済社会にあって、問題をより難しくしているのは、実は私たちの自己利益（私益）も社会の様々な既得権につながっていることです。その点をも考えると、支配層は勿論として、私たち一般国民も私益より公益を考え、私益（欲）をみな相応に自制し、欲望で肥大化したメタボ社会の諸費用を節減する。その一方で、持てる人は社会の足りない諸領域に自己の利益の一部を喜捨（贈与）する利他の精神を復活する必要があるだろうと思うのです。

そうすれば、脱原発であっても、経済成長がなくても、人々の生活に必要なモノやサービスが、分かち合いの公益優先の精神と相まって、社会に広く公正かつ公平に配分され、皆が安心して暮らせる心ゆたかな社会をつくっていくことができるだろうと思うのです。

現在のメイン・システムである「資本主義」経済システムの混迷は、「近代」になって際限のない人間の欲望と直結して発展してきた「資本主義」経済が、いろいろな意味で行き詰まってきたことの証しであると思います。そうであれば、特に自己利益（欲）を強欲なまでに追求することを目的とする市場原理主義に基づくグローバリゼーションの流れとは異なる、別の構想が、何らかの形でどうしても必要になってくるはずです。

岩井克人『資本主義から市民主義へ』（ちくま学芸文庫）は、資本主義社会は倫理性を必要とすること、いまの市場原理主義にもとづくグローバル金融資本主義の（退場）後の社会は、**倫理を内在させた市民社会**を理想の着地点と考えるようであり共感します。

昨今の市場原理主義者は、食べ尽くしてもまだ足りないというかのように、際限ないマネー獲得のためのビジネス？に狂奔してきました。比較するのもおかしなことですが他の動物は際限なく捕食しません。食べ尽くせば、食糧（動植物）が絶えてしまうので、自分たちが生き延びるためには、適度に「自制」するのが賢明であることを本能として知っています。そういう意味では、人間だってマネー優位に陥った欲望の資本主義を自制できないはずがありません。

２　未来社会に向けての私的提案（素描）

⑴　サブ・システムとしての試案

試案として、今のメイン・システムであるグローバル「資本主義」経済システムとは別の柱を（並行してサブ・システムとして）立てることを、提案したいと思います。

今の社会システムの主流は、いうまでもなく「資本主義」経済システムがベースですが、並存的にローカル「市場経済」（前掲１１９頁～）をベースとした経済システムを新しい柱として定立することも許されていいのではないでしょうか。人間が生きる生活の場の多様性と選択肢が拡がるだけでなく、経済システムの変動リスクも分散されるからです。

㈦「配慮と節度ある生きかた」の復活

日本の社会の中に、新しい柱を立てるにあたっては、際限なく欲望を刺激、拡大して経済成長を実現しようとしてきたこれまでの資本主義の社会で、打ち棄てられていた「配慮と節度ある生きかた」*を復活するのが、ひとつのポイントになると予想します。それは日本の誇るべき良き伝統文化でもあった筈なのです。

＊田中優子『未来のための江戸学』小学館101新書　２００９

㈠経済成長に頼らずとも、社会にお金が回る仕組み

同時に、社会の血液であるお金が、経済成長に頼らずとも、社会に回るような仕組みを構想できないでしょうか。『モモ』という児童文学で有名なミヒャエル・エンデの貨幣論ともいうべき『エンデの遺言――根源からお金を問うこと』（ＮＨＫ出版　２０００）は、マネー資本主義の常識に対立するシュタイナー*やゲゼル等の革新的考えを紹介しています。

＊『シュタイナー経済学講座』ちくま学芸文庫　２０１０

興味深いことは、かのケインズは、将来の人間は、マルクスよりもゲゼルの「経時減価貨幣説」ともいうべき思想から多くを学ぶだろうと予言したということです。

(ウ) 柔軟な制度設計ができる「地域通貨」の意義

エンデは、増殖する資本としてのお金の機能、投機のためのお金を否定。利子を生まないお金として**地域通貨**の意義を評価し、消費者共同体や生産者共同体というコミュニティに友愛の実現の可能性を見ていたということです。*

＊坂本龍一・河邑厚徳『エンデの警鐘「地域通貨の希望と銀行の未来」』ＮＨＫ出版　２００２

このエンデの、利子を生まないお金というアイディア以外にも、イスラム金融の考え方なども「資本主義」経済システムに無い良さがあるようです。また、シューマッハー*が着目する人間中心の経済学としての仏教経済学なども含め、学べるものは何でも取り入れて試行錯誤してみてはどうでしょうか。

＊シューマッハー『スモール・イズ・ビューティフル』講談社学術文庫　１９８６

(エ)「新しい中世」

なお、堺屋太一『歴史の使い方』(日経ビジネス人文庫)は、文明史的観点から、人類の未来を展望しています。堺屋太一さんによれば、この200年、世界は近代工業社会であり続けてきたが、先進諸国では大量生産・大量消費の時代が終わり、人々の欲求は物財の消費より主観的な満足を追い求めるように生き方も変わってきたといいます。そして将来の見通しとしては、中世は村落限りの地縁社会における自給自足経済の世の中であったが、未来の人類が、この道を歩んで「新しい中世」に到達する可能性は十分にある(285頁)といいます。

■ローカル「市場経済」をベースとした自立的な地域共同体

堺屋太一さんの「新しい中世」の具体的中身は、必ずしも明らかではありませんが、僕なりに夢想する未来社会のイメージを素描してみたいと思います。

直観的にいうと、新しい社会の柱は、現在のグローバル「資本主義」の経済とは対照的なブローデルのいうローカルな「市場経済」(119頁〜)をベースとし、主要な産品は地産地消でほぼ自給自足できる自立的な地域共同体が、国(社会)の基本単位になると思うのです。そうして国内にそのような共同体が、地方分権的に数多く存在し、それがゆるやかな連合国家（イメージ的には、江戸時代の各藩の連合体からなる非中央集権的な国家）を形成する、というのがよいのではないでしょうか。

そのための一歩として、いまの日本国内に、現行システムと重層して並存するサブ・システムとして、自立的な（地域通貨が通用する地産地消型）地域共同体のシステムをつくることを試行してみてはどうでしょうか。

(オ)「交換」から「贈与」（分かち合い）へ

「資本主義」の本質は、利子を容認し、「交換」*をつうじて利潤の拡大を追求するシステムにあります。「交換」は当事者の主観では等価交換です。しかしながら、グローバル「資本主義」経済社会に代わる**定常**社会の新しい社会システムの方向は、「資本主義」的な（等価）「交換」から「贈与」へ、それは定常社会にあっては「分かち合い」もしくは「三方よし」（前述133〜134頁）へ、という価値観の大きな転換の中に見出されることになるのではないかと思うのです。

*商品（マルクス的にいえば労働力も商品）と貨幣の「交換」は、（客観的には等価でなくても）当事者が主観的に等価として認容すれば、等価交換として売買契約など取引が成立する。客観的な不等価の差異が、こうして利潤になる。これを倫理的にどう考えるかは問題です。特に近時

の「資本主義」にあっては、所得の二極化が進み、多くの中低所得層の勤労者が、労働の対価としての賃金が不当に低下しても、その受忍を強いられている状況にあり、そのような労働契約は、倫理的には是認し難い、労働力と賃金の不等価交換です。

これに対して、「分かち合い」もしくは「三方よし」に価値観が転換された社会を作ることができれば、社会的に適正妥当な所得の再分配システムのもとで、労働力と賃金の不当な等価交換という倫理上の問題は、生じることはなくなるのではないかと思います。

⑵　全ての人が人間らしく生きることができる「心ゆたかな」社会へ

財産（ストック）や収入（フロー）は、人間が生きるために必要な「道具」であっても、生きる「目的」ではない。生きる目的は、道具を正しく使って、人格を磨くこと、心をきれいにすること（A・スマナサーラ）、そのような心構えで、全ての人が人間として尊重される社会をつくっていきたいものです。

世界に先駆けて**定常社会**（いやシュリンクする社会）に突入した日本は、全ての人が人間らしく生きることができる社会を構想し、試行錯誤しながらもそういう新しい社会を目指したいものです。自助努力とともに、困ったときはお互いさまという互助の絆と「分かち合い」の精神を、広げていきたいものです。また、経済活動における基本的な倫理（モラル）として、前述したように、昔から近江商人がいう「三方よし」の精神が広く社会にいきわたっていることが、何よりも大事なことだと思います。

そのような新しい社会は、自然と人間に過重な負荷をかけない身の丈に合った生活ができる社会になることでしょう。過剰な物質的富よりは、心のゆたかさや美しいものを大切にする、人間や自然に優しい社会であることでしょう。

経済も大事ですが、心のゆたかさが第一ではないでしょうか。日本の目標は、ＧＤＰが世界第何位とかいうことではなく、世界に率先して「人々の心がゆたかで美しい社会」を目指していく。それが実現すれば、世界が日本を尊敬し、日本モデル（生き方、社会のありよう）が憧れとなり、未来の世界標準になることも、夢ではないでしょう。

そうして地球の未来は、西洋の人権思想等の善いところを融合させて、自然環境と調和的な東洋の深い精神性が、ルネッサンスのように再興していくことにかかっているように思えます。日本は、それを現実の生き方の内に体現したいものです。

☆このように考えているときに、２０１１年3月11日、東日本大震災および東電原発事故が起きました。この未曾有の大災厄は、日本の社会の在り方を根底から見直す契機になったと思います。家族や共同体の絆、経済的効率よりは安全・安心、など価値観や優先順位のありようが根本から問い直されるようになりました。さらにそれは、今般のコロナ禍により社会で最優先に守られるべきものは、金融権力等を行使する一部の特権階層の権益ではなく、国民の生命であり、また多くの国民の生活とその生活の場としての共同体（コミュニティ）が健全に保全されること、それが決定的に重要であることが明白になりました。そしてこの事実は、コロナ後の未来社会を構想するにあたっても必然的に、正しい改革の方向性を与えることでしょう。

第6章　将来への課題（心ゆたかな社会へ前進するために）

序論

これからの社会、コロナ後の社会は、皆が幸せに生きることができる「心ゆたかな社会」にしたい、と前章まで考えてきました。そしてそのための私的構想を（ひとまず僕なりの夢想ですが）ラフ・スケッチしてみました。しかしこの試案は、ひとつの叩き台にすぎません。ですから、みなさんも是非、それぞれ夢の案を考えてみてください。

また、夢を夢で終わらせずに、実現に向けて少しでも前進するためには夢の実現の障壁になっているリアルな今の現実を直視し、それを試行錯誤しながら（非暴力的に、時間がかかろうとも根気よく）克服していくことも必要になるでしょう。その過程では自分自身も変わる必要があるかもしれません。

○「心ゆたかな社会」を実現していくためには、克服したほうがいいと思われる問題点、ポイントとなる将来の課題について、最後に幾つか触れてみたいと思います。いろいろな考えがあると思いますが、僕は次のように考えます。

日本は、既に存在する西洋近代の大きな物語の由来や本質を問う時間的な余裕もなく、西洋近代を所与の前提として、その現実を認め、急いで受け身的、受動的に対応し近代化してきた歴史があります。

その一方で、日本の近代化以前からある、個人の自由・尊厳よりも優先する「世間」への同調圧力が、今でもまだ根強いものとしてつづいています。

国としての日本と、日本人（もちろん例外もありますが）に共通する弱点は何かというと、国のあり方、人の生き方が、傾向として、受け身的、受動的であり、主体的、能動的に考え、行動することが、あまり得意ではないのではないかと思うときがあります。

国のレベルでは、近代日本の成り立ちが受動的であり、また敗戦後はアメリカのつよい影響下から抜け出せないことから、今の日本の（一部の）権力層は、自主・独立した主権国家としての日本のリーダーとしての気概を忘れたかのように見えるときがあります。存外に主体性や真摯な責任感が乏しく、そのためか、例えば原発事故やコロナ禍のような困難な局面に直面しても（右往左往して）、適時の適切な、責任ある対応ができていない場合があります。国民にとっては、これはかなり困ったことです。

国民自身も、みずからが能動的かつ主体的に、主権者として、自分たちのための民主主義社会を創った歴史的経験がないことから、残念ながら（一人ひとりの幸せを支える社会の土台になっている）個人の尊厳や自由を尊重する基本的人権、さらには、それを保障する日本国憲法の民主主義の理念が、なかなか身につかず、主権者としての自覚に至らないようです。そのためか、近時の政権が、権力を（表向き一見ソフトに）濫用し、日本国憲法*の定める民主主義の理念を危うくしつつあっても、（比較的多くの）国民はこのような危うい政治状況に、あまり注意をはらっていないように見えます。

受け身的で受動的な生き方が、国や社会の動きに無関心になるのだとすると、心ゆたかな幸せな社会をつくることはできないでしょう。それどころか、下手をすると国を亡ぼす国難をズルズルとまねくことにもなりかねないのです。

*日本国憲法の成り立ちは、アメリカから押し付けられた憲法で、日本人が定めた自主憲法ではないとして否定的に見て、自主憲法制定のため現憲法を改憲しようという動きがあります。たしかに現憲法は、敗戦下の受け身的な状況で、受動的に成立した経緯があります。しかし、そうして成立した日本国憲法であっても、その中身が私たち国民が自分たちのための民主主義の憲法として、選択するに値するものとして、70年以上の長期間にわたり、肯定的に受け容れてきたことは、積極的に認めるべきでしょう。

ちょっと見方を変えてみましょう。合気道は、相手の初動の能動的攻撃を、受動的にしなやかに受けとめますが、相手のその能動の力を、自己の内の気に合わせ、一体化して自己のプラスの力に転化し、逆転に結びつける護身術のようです。比喩的な見方かも知れませんが、合気道の例を見れば、初動が受け身で受動的だったという一面だけ見て、日本国憲法は自主憲法ではないとして否定的に見るのは、現憲法の評価として短絡的であり、理由にならないと思います。

また、もっと日本の歴史を遡れば、日本の文化や生活の大本は、ほとんどが外から来たものです。米も然り、漢字も然り、仏教や儒教的な道徳秩序などもそうです。そうして近代になれば、科学技術も含めてほとんどのものが外来です。日本人は、外来のものでも、有用なものは、それを学んで日本に取り込み、さらに良いものにして自分のものにしてきました。現憲法も、その意味ではきわめて有用性が高いものです。現憲法の精神が、国民に本当の意味で身につけば、「心ゆたかな社会」の礎石になり得るのです。

１　国としての課題（独立国としての自主性・自律性の回復）

国レベルでいえば、約１５０年前の明治維新は、当時の欧米帝国主義列強による植民地化の危機に対応するため、急速に近代化する必要に迫られたうえでの改革、開国でした。（当時の世界情勢からすると、やむをえなかったものですが）政治制度や司法制度などは、日本の伝統や文化を背景としたものではなく西洋の制度を模倣したものです。現在の日本の政治制度や司法制度も、敗戦後から今日に至るまで、前述してきたようにアメリカの意向につよい影響を受けたものになっています。

そしていまの世界の情勢は、アメリカの（市場原理主義に基づく）モラルの無い金融資本優位の力を背景とした政治的力関係から、グローバリゼーションによる規制緩和、自由化を推し進め、各国の政治、経済、社会を大きく変えてきました。しかしその結果は、アメリカ自身だけでなく、世界中で格差拡大などの問題を引き起こしており、もはや末期的な混迷の状況になっているのは、これまで見てきたとおりです。

これに対しローカル経済は、地域の実需をベースとした実体経済が中心で、基軸通貨のドルをベースとしたグローバル経済が（ドル危機をきっかけに）仮に崩壊することになったとしても、地域通貨が機能すれば、（海外から輸入するモノの調達が一時的に困難になるという程度の影響はあるとしても）今後も存続しつづけることができます。

日本は、国内「市場経済」が実は意外に分厚く、仮にグローバル「資本主義」経済システムが自壊しても、（米中韓などにくらべて）失うものは少なく、それだけ自由に考えて自主的に行動することができるはずです。それは日本の大きなアドバンテージです。

世界はいま歴史の大きな転換期にあります。覇権国のアメリカといえども、自らの権益の基盤であるグローバル「資本主義」経済システムが混迷を深めている状況に、有効な「解」を見出せていないのです。

日米関係は、民主主義や自由と人権を尊重する価値観等を共通にする国同士として、その意味で今後も（おそらく）一番重要だと思いますが、それでもアメリカとの関係を相対化して、是々非々で、アメリカの影響を、どの範囲で、何を、どこまで受け容れるかを、日本として自主的・自律的に（あらためて）考え直してみてもよいのではないでしょうか。

（岩井克人『二十一世紀の資本主義論』〈ちくま学芸文庫〉は、いまのグローバル「資本主義」経済システムは、それがいつになるかは明言していませんが、理論上、基軸通貨のドル危機をきっかけに解体することは避けられないと予想しています）

２　国民の課題（主権者としての覚醒）

国民レベルでは、どうでしょうか。国の制度は、御上《おかみ》が定めるものであり、下々の民はおとなしくそれに従うものだ（御上からすれば「知らしむべからず、依らしむべし」）という権威主義的*な官尊民卑の意識が、官民ともに、どこかまだ残っているように見えます。

＊本書では、権威とは、真にすぐれた者だけが有する、おのずと他人を（威圧し）自分に従わせる威力。権威主義は、しばしば（真にすぐれた者としての実質がないにもかかわらず権力的地位の肩書があるときに）真に正当な根拠がない場合でも、その肩書の者に付与されている権力的地位によって、自分の判断や指示命令を正当と断定して強行する行動様式、または、権威に対し盲目的に服従する人々の態度及びそれに伴う（権力者と人々の）種々の思考様式と行動様式、として理解しています。

しかし、もうそろそろ、私たちは下々の民から脱却して、私たち自身が「主権者」であることに覚醒するときではないでしょうか。そうして主権者である私たち自身が、いまの実状と問題点を知り、旧来の権威主義的な思考様式と行動様式は、時代錯誤として棄て去って、社会を自由な発想で、私たち自身が幸せになるための仕組みに変えていく、そのような真の改革に、みずから進んで取り組んでいくようにしてはどうでしょうか。

3　これまでの生き方を懐疑してみよう（補論）

◆同調志向の強い日本社会には、自分の外にあって自分の考えや行動を、内部から心理的に規律づける「世間」という外部規準が根強くあるようです。それは例えば、競争に勝つこと（そのために頑張ること）が至上命令であるかのように、社会的な命令として個人の心理につよく作用します。しかし、自分の外にある「世間」という規準は、法規範や倫理規範ではないですから、それに従うかどうかは本当は各自の自由なのですが、実際には「世間」という外部規準が、心理的につよく内部化されています。

すなわち、多くの日本人は、実際のところ世間［共同体］の期待に反すると世間から非難され、仲間外れにされるという恐怖の制裁を予想し、世間の期待に反するようなことはしません。そして、世間という［共同体］の中には、会社も同類のものとしてあります。そこから、例えば、会社の過酷な業務命令であってもＮＯと言えずに、極限まで頑張ったあげくに、過労死するという悲劇も起きることになります。

こういうときの世間という［共同体］は、僕が本書で理想と観念するコミュニティ（共同体）とは異なるのですが、「世間」に対して、自分という個が、もう少し強ければＮＯと言えるのにと思います。日本人は、長い歴史を通じて「世間」という［共同体］優先の生き方をしてきましたから、そう簡単に「世間」の要請にＮＯと言うことができないのは分かります。しかしそれでも、個の尊厳を害するような「世間」の意向に対しては、やはり勇気を奮って異議を申し立てるか、さもなければ、そこから顔をあげ胸を張って、堂々と撤退する（できればですが）それがいいのではないかと思います。あなたを理解してくれる人は、必ずどこかに居ます。何としても、生き延びましょう。

◆今般のコロナ禍では、感染拡大を防ぐため不要不急の外出を制限せざるをえない事態になりました。そのことから、不要不急な活動や、無くても困らないモノや事柄は何かということを考えるようになりました。そうして生きていくためには欠かせない食料品等の生活必需品や医療・物流などのサービスの供給が滞らないこと、電気・ガス・水道等の社会インフラ（＝社会的共通資本）が適切に保全されること、これらが何よりも大事であることが、議論するまでもなく、誰の目にも明らかになりました。

さらに、おカネは、いわば社会の血液です。広く一人ひとりの国民が生きていくために社会全体に滞ることなく、また偏りなく行き渡ることが必要であることが、これまたあらためて議論するまでもなく明らかになりました。そのために、おカネが社会全体に行き渡るようにすること、この世から貧困をなくすことが、経済（経世済民）の本来の使命であったことを、あらためて思い知らされることになったのです。

おカネは社会の血液ですから、昨今の（一部の）経済的強者が（多くの勤労者や中小零細企業などの）経済的弱者を犠牲にしてまでも、おカネを儲け、いわばおカネを独り占めするようなことは、これからの社会のあり方として、もはや是認されないでしょう。

新自由主義思想に基づく市場原理主義者の意向にそって改正された法律や会計その他の諸制度（前述49～52頁、57～75頁）は、経済（経世済民）を適切に推進するための制度として機能せず、（資本家等の）経済的強者の権益を推し進め、格差を拡大し二極化による社会の分断を助長するものでした。もはや根源からの見直しが必要になるでしょう。

◆アフターコロナの時代、「心ゆたかな社会」におけるおカネは社会の血液ともいうべき「公共財」と位置づけることはできないでしょうか。おカネを、「公共財」として、広く社会全体に、血液のように行き渡らせる、偏りなく循環するように、制度設計することはできないものでしょうか。

既にキャッシュレス社会に突入しつつあり、またインターネット上では仮想通貨なども現出しています。貨幣や紙幣のような有体物の形をとらないデジタル通貨をベースにした場合には、どのような新しい通貨の制度設計が可能でしょうか。

　この問題は、自分には身に余る問題ですので、将来の課題として、他の様々な問題も含めて、岩井克人先生や他の専門家の諸先生から、社会に発信、ご教示をいただきたいとねがうところです。

○最後に（一部繰り返しになりますが）、皆が幸せに生きることができる「心ゆたかな社会」を実現するためには、さらに次のこともポイントになるだろうと思います。

①先ずは、自分の好きなことや楽しく感ずることができる職業、世のため人のためになり多くの人から感謝してもらえる職業など、仕事にやりがいを感ずることができる職業に就くことを目指しましょう。それらができる会社が見つかれば、会社に就職することもいいでしょう（今は極度の就職困難時代ですが、どうか挫けないでください）。また、力のある人ならば、自分で起業しましょう。
　非力な、ふつうの人であっても、アフターコロナの時代、他者に使われて他律的に働くよりも、小なりといえども自分が自営業者として独立し、自律的に生きるという選択肢もあるでしょう。ただその場合、通常は、昔風にいえば、最初は見習い

奉公をして、先ず仕事というものを学び、一人前になるまで、修業しなければなりません。修業時代は厳しく辛いことも多いでしょうが、修業の目的が、自分の生きがいを実現するという目標がはっきりしていれば、やり通せます。そうして一人前になり、自分が生きがいを感ずることを、自分の生業として起業できたときは、その仕事と一体になった生活そのものまで、活き活きとした楽しいものにすることができるでしょう。

②次に、大局的な観点では、自分たちの幸せのための自主的な生き方を後押しする国や社会の制度をつくることが重要です。すなわち、一人ひとりの国民が、主権者の自覚に基づいて、自分たちが幸せに生きることができるような仕組み（制度）を構築していくことが重要です。

③それには、国や自治体の制度であれば、制度を作る（立法）のは、議員や首長ですから、選挙権を適切に行使して、信頼できる人を選ぶようにすることです。[*]

＊新型コロナウィルスの感染防止対策をめぐる安倍前首相をはじめとした政府の対応のありように

ついては、多くの国民が批判的でした。政権担当者の適否は、国民の生命、健康、生活の安全を直接左右します。また、今般のコロナ禍に対する対応では、国よりもむしろ一部の地方自治体の方が迅速に必要な施策を実行できていたことは、中央集権体制の日本のありようを考えるとき、とても示唆的です。

④さらに、社会で自分たちが幸せに生きるために必要な仕組み（制度）を、御上《おかみ》頼みではなく、場合によっては、国より先に自分たちで自主的に作り出すようにしたいものです（日本では、社会で必要な安全基準などのような公的基準は、国〈役所〉が規格を設定し、国の規格制度として、国が管理運営すべきものだと思っていないでしょうか。しかし、世界では、必ずしもそうではない良い例*もあるのです）。

*例えば、アメリカに製品輸出するメーカーの間でよく知られているアメリカの安全規格であるUL規格は、Underwriters Laboratories Inc. というアメリカの保険業者が中心になって設立した民間の非営利法人が策定した製品安全規格です。エジソンが電球を発明したころの初期の電気製品は発熱による火事をひきおこすなど保険事故が絶えなかったことなどから、民間の保険業者や科学技術者、研究者などが自主的発意により安全試験所を設立し、製品の安全規格を策定したものですが、その社会的有用性（公益性）が認められ、後にアメリカの各州でも、民間の規格ですが、公的な安全規格として採用されるようになったのです。

日本では、公益ないし公の分野の管理監督は、民間ではなく、官がつかさどるものというのが、潜在的な官尊民卑の意識とともに、ほとんど刷り込みのような常識になっていますから、このＵＬ規格のように、民間の自主的発意により、民間が公益を実現するというような発想は、生まれにくかったのかもしれません。

しかしながら、世界の民主主義国の常識は、主権者である国民がいわば主人であり、官吏は主権者である国民に仕える公僕であるというものですから、民間の発意により、官にお伺いをたてるまでもなく、国民自身が、自分たち国民のための公益を、自主的に実現しようとすることは、ごくあたりまえの自然な感覚なのです。

そういうことから、日本も民主主義の国として、一人ひとりの国民が、主権者の自覚に基づいて、自分たちが幸せに生きることができる仕組み（制度）を、自主的な判断で自由かつ柔軟に構築していくことがあってもよいのではないかと思います。

⑤また、私がおこがましくも前述（１３２～１４０頁）で、提言させていただいた三つの心が、三位一体の基本モラルとして、社会で受容されるならば、この日本

をさらにより善い社会に、「心ゆたかな社会」に刷新できるのではないかと思うのです。

４　理想を見失わない現実主義

今の日本は、司法の世界も含めて、好むと好まざるとにかかわらず、アメリカの影響を強く受けているマクロの現実があることを見てきました。そして私たちは、グローバル化した資本主義経済システムと不可分な（そういう）現実の中で生きています。

それと同時に、昔からの日本の体質ともいえる権威主義、世間という抜きがたい人間関係、社会関係に、私たちが自縄自縛のようになっていること、さらにはそれが受け身的な生き方とも（たぶん）関係しているのではないか、ということも見てきました。

それでは、私たちの今の日本の現実の状況は、はたして日本の社会がより良い社会になっていると心から納得できるものでしょうか。理想と現実は、いつもギャップがあることは承知していますが、もう少し何とかならないのかなと思うことが多い昨今です。

そのようなとき、『となりのトトロ』等、多くの人気アニメの監督であるスタジオ・ジブリの宮崎駿さんは、ご自分のことを「理想を見失わない現実主義者」であると（どこかで）言っておりました。このスタンス、生き方は、僕はいいなと思うのです。

そして、そういうスタンスから、自分のミクロの現実を生きながらも皆が日本の社会を少しでもより良い社会にしたいと考える。この国の社会（共同体）を自分たちが少しでも心ゆたかに幸せに生きることができるような社会にするには、どうしたらよいだろうかと皆が考え、そして行動するのが、いいのではないかと思うのです。

アフターコロナの時代にむかいつつある現在、なお一層つよくそう思います。

5　まとめに代えて

ここまで自分の分を超えて、いろいろと述べてきました。ほとんど夢想のような部分もあると思いますが、心穏やかに生きたいと思いながら、社会を少しでもより善い社会にするためにはどうすればよいか考えてきました。それでも僕は夢想家ではあっても革命家ではありません。普通の人間ですので、身近な手の届くところから、自分にできる小さなことから始めるしかないと思っています。

改革というと大げさに聞こえますが、皆さんも幸せな社会をめざすならば、何でもいいのですが、最初は一人で、あるいは、親しい仲間たちと一緒に、自分たちが幸せに生きることができるような多様な仕組みを、試行錯誤しながら、作りだしていく。先ずは身近な日常の生活関係を良くしていくこと（多くの人が笑顔になることを作りだしていくこと）から始めてみてはどうでしょうか。

○それと同時に、（より現実的でリアルな問題として）自分や家族、社会の多くの人たちの生命や生活をまもるために、社会の統治機構の決定が、もし不当なものであるときには勇気をふるい、何らかの形で異議申し立てをし、間違いを正すようにすることも必要です。主権者としての私たち国民による、権力のチェックです。

◆私たち国民は、非民主的な時代の日本の歴史、特に大東亜戦争の敗戦の経験から、多くを学ぶ必要があります。沢山ある中で、日本の軍隊は、無責任な最高司令官の無謀な作戦決定を止められない組織であったこと、そのためインパール作戦などの悲惨な結末を招いた失敗の経験を痛切に学ぶべきです。組織が硬直的で、権威主義的な上下関係が絶対的であったため、最高司令官が自らの過った判断に固執すると、下の者が正しい意見を具申しても通らない。その結果、多数の兵士（国民）が亡くなる悲惨な結果になりました。（戸部・寺本・野中ほか『失敗の本質／日本軍の組織論的研究』中公文庫）

個人でも、優越的地位をかさに威張りたがる権威主義的な性向の人がパワハラを起こします。日本の統治組織と、その内の一部の個人に、今でも権威主義的な体質が残っているのであれば、その体質から、これを改めていかなければならないでしょう。

◆戦後の日本は、国民主権の民主主義国家として、「法の支配」ないし「法治主義」の原則の下、国の政策は、常に適法・相当・妥当なものでなければなりません。それらが具わったものを「正当」というならば、政策の正当性ないし正しさが、確かな根拠に基づき具わっていることを、為政者は国民に、正直かつ誠実に、説明しなければなりません。

しかし昨今の政府は、まま、政策の正しさを確かな根拠に基づいて国民に説明することをしないで、正当性に疑問がある政策でも、強行しようとします。

政策を批判するのならば、明確な反対証拠により批判する根拠を示すよう（暗に）国民の側にそれを求め、国民の批判をかわします。「ＧＯ－ＴＯ政策がコロナ感染を拡大するという明確なエビデンスはない」等という言い回しをして、そのまま政策を押し通したのは、その例です。

さらには、批判者に正しい代替政策案を示すよう求め、それができないのならば（そもそも）政府の政策を批判したり、反対するな等という、一見正しそうな理屈、* すなわち巧妙な「心のない論理」（橋本治『たとえ世界が終わっても／その先の日本を生きる君たちへ』集英社新書　164頁）を駆使して、批判を抑え、政府の政策の正しさを、確かな根拠に基づいて国民に説明しないで済ませようとします。国民に対する姿勢は、正直さ、誠実さが、ありません。

＊政府の説明責任は、裁判でいえば、立証責任に類するのではないかと思います。裁判の場では、立証責任を負う側は、自己の主張の正しさを証拠に基づいて証明する責任があり、立証ができなければ、立証責任を負う側の主張は裁判官に認められません。しかし、（詭弁により）立証責任を相手側に転換させると、立証責任を負っていた者は、自己の主張の正しさを証明しなくとも（本当は不正だったとしても）正しいものと扱われてしまいます。この立証責任の転換のケースを、政府の説明責任の場面に置き換えると、すなわち、詭弁により、説明責任の転換がなされると、政府は、政策の正しさを確かな根拠に基づき説明しなくても（ということは不正な政策でも）政策の正当性があるかのように取り繕えてしまいます。そういう誤魔化しは、いけません。

良心に目覚めてほしいものです。

◆国（組織）の最高責任者のおかしな政策決定を是正できないのは、戦後日本の民主主義国家としての統治機構の組織原理（議会制民主主義、三権分立）が十分に機能していないこともありますが、戦前のような「権威主義的体質」が、現在でも日本の統治機構としての組織や、権力者の体質にも、改まることなくまだ残っている、ということもあるでしょう。

多くの公務員は、真面目な職業人です。しかし、重要な政策を決定するのは組織の上位の決裁権者であり、その決裁権限を有する者が、少数とはいえ、何らかの理由により正当性のない過った決定をするときは、下の者は（上位の決裁権者が狭量で且つ権威主義的性格だとすると）正すことができません。安倍政権のときには、モリ・カケ問題など幾つかそういうあってはならない例があったようです。国のトップなど職位上位者が、万一、過ったときに、国の統治機構としての組織が「権威主義的体質」が強く、また忖度し無定見なイエスマンが出世しやすい組織体質ならば、未然に過ちを正すことができなくなります。*

＊民間の組織（銀行）のフィクションですが、半沢直樹のような勇気ある人が、国の統治機構の組織内にも居てほしいものです。それと同時に、望ましい組織は、正しい政策形成のために、職位が下の者でも、特別の勇気を要せず、自由に発言できて、正しい決定に関与できるような風通しの良い、明朗な組織です。組織も個人も、「権威主義」は、有害無益です。
(なお、内田樹『日本習合論』ミシマ社　民主制と非民主制について　246〜257頁)

このように「心のない論理」を駆使して、正当性が明らかでない政策でも（権威主義をかさに批判者を排斥しながら）強行する政治手法は、前の安倍政権の時代の虚偽答弁、論点をはずした答弁などと併せて、近時の政権運営の常套手段になっているようです。

もし公権力を、自らを含む一部の特権層の利益のために、恣に、濫用して省みないのであれば、論外なことと言わなければなりません（国のリーダーたるべき人たちは、大きな歴史の転換期にあって難題が多い時代に、このような低次元なレベルで、国の大事な仕事をしているようでは、困るのです）。

◆国の統治機構＊は、社会的上位者の私的な既得権益をまもるためにあるのではなく、主権者である社会の全構成員（国民）のためにある公的な組織です。国の統治機構（議会や行政官庁）内の高官も、主権者である国民からの負託により、その地位と権限が認められています。国の統治機構は、主権者である国民を恣に支配するための統治機構ではないことを、あらためて確認しておきたいと思います（日本国憲法の前文①参照）。

＊国というと見上げる感じかもしれませんが、例えば、みなさんが住んでいるマンションや町内（共同体）を考えてみると、構成員の全員で組織されているマンション管理組合や町内会では、役員は輪番制か選挙で選ばれており、ぐっと身近に感じられると思います。そこでは、みなさんは役員の人に統治支配されているとは誰も思っていないし、遠慮なく何でも言えるでしょう。その感覚で、国（共同体）であっても気後れせず発言しましょう。

残念ながら、いまの為政者は、心許ないくらい頼りありません。国は、コロナ禍を克服し、同時に、グローバル資本主義経済システムの末期の歴史的混迷状況に対応しながら、気候変動問題、核廃絶など数々の地球規模の難題に挑戦しなければならないのです。私たち国民は、国が何とかしてくれるだろうと受け身的に生きるのではなく、自分たちでも出来ることがあるというスタンスで（できるところから）前向きに取り組むようにしたいものです。

○さて本書の原点は、市井の生活者の立場に立って、「心ゆたかな社会」をめざすものでした。私たちの日常の生活関係が成り立っている市民社会の原点にもどりましょう。

企業や個人は、コロナ後の次の時代への構造転換に向けて、それぞれの事情に応じて柔軟に対応したいものです。ミクロの現実を生きる普通の人々からすれば、世の中がどのように変わっても、誰もが生きていくために必要不可欠なモノ（生活必需品）とサービス（医療、物流など）は、社会で必要とされる実需です。その実需と供給が滞らない仕組みさえあれば、生きていけます。

社会の生活者は、消費者（実需）であると同時に、何らかのモノまたはサービスの供給者です。お互いのその実需と供給を媒介するのは、通常はおカネですが、本来は、お互いの信用と信頼です。お互いが顔と顔を見知っている地域の共同体の住民であれば、仮にコロナ禍による混乱で、おカネの流れが（一時的に）ストップし、手元におカネがなくとも、戦後の困窮の時期に、信用だけで（19頁）食料を掛売りしてくれたときのように、必要なモノやサービスをお互いに融通しあえることでしょう。

また、おカネ（貨幣）の本質は、人々がそれを貨幣として信用し認めていること（84頁）にあるわけですから、地域の共同体に生きる人々が、信用できる「地域通貨」を創ることができれば、その「地域通貨」を媒介として、地域共同体内の経済を循環的に活性化させることができるでしょう。

アフターコロナの時代、大事なのは、人間としての信用であり、信用を媒介として、皆が誠実に、それぞれ自分の仕事の本分を尽くす（一隅を照らす）こと、それにより、お互いに支え、扶けあう信頼社会だと思います。

○いろいろ述べてきましたが、（いずれにしても）アフターコロナの時代は、何が大事か、幸せとは何か、どうしたら皆が幸せになれるか、それらを妨げる障害は何か、その障害をどうすれば克服することができるかを、皆で考えて、*皆で自分たちが幸せになれる社会をめざして、自由に、多様な形で、行動するようにしたらどうでしょうか。

＊スタートは、ブレイン・ストーミング（頭脳に嵐を起こす）の手法により既成の常識に縛られずに、皆で自由にまず考えてみましょう。直感に基づくアイディアでも、ほんの思いつきレベルのアイディアでも、何でもいいのです。頭脳を（既成概念に縛られることなく）最大限自由にして、そこから湧き出てくるものを、まずホワイト・ボードか黒板に、全部書きだしてみましょう。このとき参加者は、他者のアイディアを荒唐無稽だと批判したり、非現実的だとか、子どもじみていて稚拙だと笑ったり、バカにする等、見下してはいけません。

それが、ブレイン・ストーミングの基本的なルールです。参加者全員がこのルールを守らないと、お互いの頭脳のはたらきを萎縮させ自由な発想が生まれなくなるからです。そうして自由な発想から生まれたアイディアは、最初は覚束ない小さな芽だとしても、試行錯誤をしながらもブラッシュアップして少しずつ成長していくうちに、今の世の中の閉塞状況を打開（ブレイク・スルー）する「解」に近づいていくものになるでしょう。

ブラッシュアップの過程では、アイディアを、よりよいものとして現実化できるか、自然科学系のアイディアであれば、理科実験するところでしょう。しかし社会の新しいルールや仕組みを創るためのアイディアであれば、思考実験として、多角的な観点から誰もが率直かつ自由に意見を述べることができること、真っ当な「議論」ができることが必要です。

議論にも作法があります。（いまの国会での議論のあり方は全く参考になりませんが）議論においては、お互いに論点をずらすことなく噛み合うようにしましょう。論理学は、適正な論理のありかたを教えてくれます。当然のことながら、詭弁や、誹謗、中傷などはいけません。適切な議論のあり方を学びながら、実りある思考実験を経て現実化してみること、それでもそれは試行錯誤の繰り返しになるかも知れませんが、失敗を恐れず前向きにチャレンジしてみましょう。

◎大事なことは、自分たちが「社会を変えることができる」、「よりよい社会を創ることができる」というポジティブな経験を、明るく前向きに積み重ねていくことです。

終章　宇宙時間を生きる

○本書は、私の第一次的な関心から、主として経済の視点を中心に書いてきました。しかし、現実の社会においては、政治と経済は、不可分の関係にあります。したがって日本や世界の将来のありかたを考えるときには、政治の国内ないし国際的な観点からの問題も、もっと検討されるべきです。

国際政治的には、日本の近未来は、衰退の兆しを見せはじめたとはいえ、依然として超軍事大国であるアメリカと、急速に興隆し超大国化しつつある中国との狭間で、どう生きていくのかです。日本が（真に自主・独立の民主主義の国として）両大国を相手にして、是々非々を貫いて生きていくことができるかが問題です。

日本や世界の政治のありかたを考えるときは、歴史から学ぶことが沢山あります。戦争と平和の歴史からわかることは、人間の英知と愚昧、勇気と卑怯、信義と背信など、人間の内に在るありとあらゆる善悪、明暗の諸相です。人類が未来へ生き延びるためには、人間の善い面を伸ばして、暗い負の側面を克服していくこと、それがより良い未来社会に生きる人間へと進化していくために、必要とされていることです。

○近代になって、先進諸国は、資本主義経済に科学技術の発展を取り込み、物質的には豊かになり進歩しましたが、エゴイズムを抑制できず、精神的には逆に退歩しました。近代物質文明がいよいよ行き詰まりを見せはじめた現在、人類は、正義や善という普遍的な価値や基本的人権を尊重する民主主義社会のもと、政治的には覇道を乗り越えること、また経済的、社会的には、エゴイズムを抑制し*、「三方よし」の精神（本文133頁）へと精神的な進歩を希求し、進化していくことが、求められているのではないかと思います。

*エゴイズムは、利己主義、すなわち「自己」の利益だけを考えて行動するやり方です。近代の啓蒙思想は、個人（自己）を発見し、その自由を尊重することを正面から認めてきました。そして民主主義は、国家の主権者を、国家の構成員である一人ひとりの個人（自己）を基礎とする国民であるとするものです。したがって、民主主義社会において個人（自己）は、本来、自己だけでなく、社会全体の人々が幸せに生きることができる国（社会）をつくり、これを保持していく基本的な責務を負っているといえます。

近代啓蒙思想は、個人（自己）の自由を尊重しますが、現実の「自己」は、気をつけないと、仏教で言う、我見・我執にとらわれた「小我」であるかも知れません。我欲に執着するエゴかも知れません。小我でないかどうか、我慾でないかどうか、ときには自己をも懐疑し、お互いにエゴを適切に抑制したいものです。

そして（いつの日か）多くの人が、「小我」から脱却し、宇宙の本体として満ちわたる絶対的な「大我」に、共に生の立脚点をおくことができるように進化すれば、揺るぎない理想社会が実現するのではないでしょうか。

◎或る初夏、友人の吉川和哉さんの案内で慶應大学の「あるびおんくらぶ」土曜教養講座を聴講しました。国立天文台の海部宣男先生の「宇宙の生命と地球の生命」という演題の講義でしたが、地球の誕生が約46億年前、地球の全体がマグマだったのが少しずつ冷え海ができたのが約40億年前、その海と共に生まれた最初の生物は、バクテリアのような単細胞の原核細胞生物で、長い年月をかけて真核細胞生物に進化したのが約20億年前、さらに多細胞生物に進化したのが約10億年前、現生人類（ホモ・サピエンス）が誕生したのが約20万年前だということです。この46億年を仮に一日の長さに縮小してみると、現生人類（ホモ・サピエンス）は、時計の時間でいうと、23時59分56秒、つまり僅か約4秒前に登場したことになるそうです。

私たちが生きている近代文明社会は、たかだか約２００年ですから、宇宙の生命の時間では、それこそ一瞬の時間でしかありません。日頃、些細な事柄に追われてあくせくと生きていますが、この自分の人生の時間など、さらに一瞬の瞬《まばた》きの時間よりも短いことを思い知らされました。そしてこの長い宇宙時間の、その一瞬の時間に、生を得て存在することと自体が、まさに奇跡であると思いました。

そうすると、この一瞬の時間に共に生を得て同時代を生きる人間同士は、争うことなく（奪い合いの競争は、もはや争いです）、喜びと悲しみを分かち合って、仲良く（自然と）共生する生き方こそ、人間の本然（本来の生き方）なのだと思いました。

おわりに

グローバリゼーションの時代とほぼ同時代の１９８０年代以降、ＩＴ（情報通信テクノロジー）の革新が急速に進みました。あらゆる情報に迅速かつ容易にアクセスでき便利になった反面、雑多な情報があふれる情報洪水の状況にあります。そのため時代の深層、いまの困難な社会状況の核心が、かえってわかりにくくなっているように思います。

今、日本は東日本大震災や東電原発事故などの大災害を表面的にやり過ごしている中で、コロナ禍で右往左往しています。世界の政治・経済・社会も、グローバル資本主義経済の末期的な混迷状況に、コロナ禍の追い打ちも加わって、大きく揺れ動いています。

そういう時代に「心ゆたかに生きる」にはどうすればよいでしょうか。歴史の転換期にある世界の現況と問題点を、整理して理解する必要があります。そして世界の人々が持続的に生存しうる環境と社会を最優先に求めざるをえない大きな変革の時代の流れに沿って、日本の社会を、皆が幸せに生きることができる社会、「心ゆたかな社会」に変革していくには、どうしたらよいか考えなくてはなりません。そんな大それたテーマを、身の程知らずであることは百も承知のうえで、読者の皆さんと一緒に、考えてみたいと思いました。

本書は、普通の市民として、平凡にマイペースで生きてきた弁護士にすぎない私が、自分の拙い経験と、読書を通じて学び考えたところに基づいて、書いてきました。浅学菲才の身をかえりみず、いわば参加者の分を問わず発言の自由が許されるブレイン・ストーミングの場を自分で設けて、画用紙にラフスケッチするように、思いつくままに書いてきました。

それなので、間違いや不備な点もあるかと思いますが、不適切な点などがあればご教示をいただきたく、また多くの諸賢からさらにご指導をいただけましたならば、大変ありがたく思います。そして、本書をひとつの叩き台として、皆様方が、ご自分の人生を「心ゆたかに生きる」ために自由にブラッシュアップして活用して頂くことができましたならば、私としてはこれにまさるよろこびはありません。

本書を書くにあたり、多くの方々の英知の言葉が、残響のようにひびいて私を導いてくれました。その後押しを、最後に心から感謝申し上げます。

休憩で、外に出ると、路傍のコンクリートの僅かな隙間に、タンポポが咲いています。陽があまりあたらないところには小さな緑の苔も生えています。そんな目立たない処に生命の営みを、ふと見つけると、ストレスで緊張していた心が、すこしばかり和みます。

遠くの高い雲間から夕陽が斜めに幾筋も射しこんでいます。その美しさに今日の疲れがスッと溶けていくように感じます。——明日も、また前を向いて歩いていけそうです。

本書が皆様方の心に小さくともポジティブな元気をもたらし、よりよい明日への一歩の後押しになることを願い書き終えます。読んでいただき、ありがとうございました。

2019年（2021年2月　補訂）

大山皓史

（その他の参考文献）

■資本主義に関して

佐伯啓思『貨幣・欲望・資本主義』２０００　新書館

川勝平太編『世界経済は危機を乗り越えるか』２００１　ウェッジ選書

平川克美『移行期的混乱／経済成長神話の終わり』２０１０　筑摩書房

水野和夫・大澤真幸『資本主義という謎』２０１３　ＮＨＫ出版新書

奥村宏『資本主義という病』２０１５　東洋経済新報社

西川潤『２０３０年　未来への選択』２０１８　日経プレミアシリーズ

■貨幣に関して

内山節『貨幣の思想史』１９９７　新潮選書

岩村充『貨幣進化論』２０１０　新潮選書

■環境史に関して

石弘之・安田喜憲・湯浅赳夫『環境と文明の世界史』２００１　洋泉社新書

■生物学の視点から

本川達雄『生物学的文明論』２０１１　新潮新書

■東洋の叡智に関して
A・スマナサーラ『仏教は心の科学』2008　宝島社文庫
梅原猛『人類哲学序説』2013　岩波新書
鈴木大拙『東洋的な見方』2017　角川ソフィア文庫
■その他
加藤尚武編『環境と倫理』1998　有斐閣アルマ
神野直彦『地域再生の経済学』2002　中公新書
オルテガ『大衆の反逆』2002　中公クラシックス
アリストテレス『ニコマコス倫理学』2009改版　岩波文庫
ジョン・ロールズ『正義論』2010　紀伊國屋書店
モース研究会『マルセル・モースの世界』2011　平凡社新書
猪木武徳『経済学に何ができるか』2012　中公新書
セルジュ・ラトゥーシュ『〈脱成長〉は世界を変えられるか?』2013　作品社
冨山和彦『なぜローカル経済から日本は甦るのか』2014　PHP新書
藻谷浩介『しなやかな日本列島のつくりかた』2014　新潮社
池田善昭『福岡伸一、西田哲学を読む』2017　明石書店

見田宗介『社会学入門』２０１７改訂　岩波新書
大澤真幸『社会学史』２０１９　講談社現代新書
矢部正秋『「誠意」の通じない国』１９８８　日本経済新聞社
渡辺京二『逝きし世の面影』２００５　平凡社ライブラリー
半藤一利『昭和史』２００９　平凡社ライブラリー
島村菜津『スローフードな人生！』２０００　新潮社
養老孟司・宮崎駿『虫眼とアニ眼』２００８　新潮文庫
長谷川英祐『縮む世界でどう生き延びるか？』２０１３　メディアファクトリー新書
辻信一『英国シューマッハー校　サティシュ先生の最高の人生をつくる授業』２０１３
講談社
養老孟司『遺言。』２０１７　新潮新書

大山　皓史（おおやま　ひろし）

1945年東京都生まれ、早稲田大学政治経済学部経済学科卒業、弁護士。日本弁護士連合会調査室嘱託、東京簡裁民事調停委員、人権擁護委員、東京都港区情報公開等審査会委員などを歴任。

心ゆたかな社会へ
はみだし弁護士・スケッチ帖

2021年6月16日　初版第1刷発行

著　　者　大山皓史
発 行 者　中田典昭
発 行 所　東京図書出版
発行発売　株式会社 リフレ出版
〒113-0021　東京都文京区本駒込 3-10-4
電話 (03)3823-9171　FAX 0120-41-8080
印　　刷　株式会社 ブレイン

ISBN978-4-86641-404-1 C0095
Printed in Japan 2021